Saul A. Kripke

Identity and Necessity

Identität und Notwendigkeit

Englisch / Deutsch

Aus dem amerikanischen Englisch
übersetzt und herausgegeben
von Gregor M. Hörzer

D1289652

Reclam

RECLAMS UNIVERSAL-BIBLIOTHEK Nr. 14005
2021 Philipp Reclam jun. Verlag GmbH,
Siemensstraße 32, 71254 Ditzingen

© 1971 by New York University
Abdruck mit freundlicher Genehmigung von NYU Press

Gestaltung: Cornelia Feyll, Friedrich Forssman
Druck und Bindung: Eberl & Koesel GmbH & Co. KG,
Am Buchweg 1, 87452 Altusried-Krugzell
Printed in Germany 2021
RECLAM, UNIVERSAL-BIBLIOTHEK und
RECLAMS UNIVERSAL-BIBLIOTHEK sind eingetragene Marken
der Philipp Reclam jun. GmbH & Co. KG, Stuttgart
ISBN 978-3-15-014005-5

Auch als E-Book erhältlich

www.reclam.de

Identity and Necessity
Identität und Notwendigkeit

Identity and Necessity

SAUL KRIPKE
The Rockefeller University

A problem which has arisen frequently in contemporary philosophy is: "How are *contingent* identity statements possible?" This question is phrased by analogy with the way Kant phrased his question "How are synthetic a priori judgments possible?" In both cases, it has usually been taken for granted in the one case by Kant that synthetic a priori judgments were possible, and in the other case in contemporary philosophical literature that contingent statements of identity are possible. I do not intend to deal with the Kantian question except to mention this analogy: After a rather thick book was written trying to answer the question how synthetic a priori judgments were possible, others came along later who claimed that the solution to the problem was that synthetic a priori judgments were, of course, impossible and that a book trying to show otherwise was written in vain. I will not discuss who was right on the possibility of synthetic a priori judgments. But in the case of contingent statements of identity, most philosophers have felt that the notion of a contingent identity statement ran into something like the following paradox. An argument like the following can be given against the possibility of contingent identity statements:[1] [136]

---

1 This paper was presented orally, without a written text, to the New York University lecture series on identity which makes up

Identität und Notwendigkeit

SAUL KRIPKE
Rockefeller University

Ein Problem, das in der zeitgenössischen Philosophie immer wieder auftaucht, lautet: »Wie sind *kontingente* Identitätsaussagen möglich?« Diese Frage ist in Anlehnung an die Kantische Frage »Wie sind synthetische Urteile a priori möglich?« formuliert. In beiden Fällen wurde üblicherweise etwas als selbstverständlich erachtet: im Fall Kants, dass synthetische Urteile a priori möglich sind, und im anderen Fall aus der zeitgenössischen philosophischen Literatur, dass kontingente Identitätsaussagen möglich sind. Ich habe nicht vor, mich mit der Kantischen Frage zu beschäftigen, mit Ausnahme der folgenden Analogie: Nachdem ein ziemlich dickes Buch in dem Versuch geschrieben wurde, die Frage zu beantworten, wie synthetische Urteile a priori möglich sind, kamen andere herbei, die behaupteten, die Lösung des Problems sei selbstverständlich, dass synthetische Urteile a priori unmöglich sind, und dass ein Buch, das versucht, das Gegenteil zu zeigen, vergeblich geschrieben worden sei. Ich werde nicht darauf eingehen, wer in Bezug auf die Möglichkeit synthetischer Urteile a priori Recht hatte. Doch im Fall kontingenter Identitätsaussagen hatten die meisten Philosophen den Eindruck gewonnen, der Begriff einer kontingenten Identitätsaussage führe zu ungefähr der folgenden Paradoxie. Gegen die Möglichkeit kontingenter Identitätsaussagen kann etwa das folgende Argument vorgebracht werden:[1] [136]

---

1 Dieser Aufsatz wurde ohne schriftliche Vorlage im Rahmen einer Reihe von Vorlesungen zum Thema Identität an der New York

First, the law of the substitutivity of identity says that, for any objects x and y, if x is identical to y, then if x has a certain property F, so does y:

(1) $(x)(y) [(x = y) \supset (Fx \supset Fy)]$

On the other hand, every object surely is necessarily self-identical:

(2) $(x) \square (x = x)$

But

(3) $(x)(y) (x = y) \supset [\square (x = x) \supset \square (x = y)]$

is a substitution instance of (1), the substitutivity law.

this volume. The lecture was taped, and the present paper represents a transcription of these tapes, edited only slightly with no attempt to change the style of the original. If the reader imagines the sentences of this paper as being delivered, extemporaneously, with proper pauses and emphases, this may facilitate his comprehension. Nevertheless, there may still be passages which are hard to follow, and the time allotted necessitated a condensed presentation of the argument. (A longer version of some of these views, still rather compressed and still representing a transcript of oral remarks, will appear elsewhere.) Occasionally, reservations, amplifications and gratifications of my remarks had to be repressed, especially in the discussion of theoretical identification and the mind-body problem. The footnotes, which were added to the original, would have become even more unwieldy if this had not been done.

Einerseits besagt das Gesetz der Substituierbarkeit des Identischen: Für beliebige Gegenstände x und y gilt, dass, wenn x identisch mit y ist, gilt: wenn x eine bestimmte Eigenschaft F hat, dann auch y:

(1) $(x)(y)\,[(x=y) \supset (Fx \supset Fy)]$

Andererseits ist mit Sicherheit jeder Gegenstand notwendigerweise mit sich selbst identisch:

(2) $(x)\,\square\,(x=x)$

Nun ist aber

(3) $(x)(y)\,(x=y) \supset [\square\,(x=x) \supset \square\,(x=y)]$

eine Substitutionsinstanz von (1), dem Substituierbarkeitsgesetz. Aus (2) und (3) können wir schließen, dass

University, aus der dieser Sammelband besteht, mündlich vorgetragen. Die Vorlesung wurde auf Band aufgezeichnet, und der vorliegende Aufsatz stellt ein Transkript dieser Aufzeichnungen dar, das ohne den Anspruch, den Stil des Originals zu verändern, geringfügig editiert wurde. Es könnte das Verständnis fördern, wenn der Leser sich die Sätze dieses Aufsatzes als mit den entsprechenden Pausen und Hervorhebungen aus dem Stegreif vorgetragen vorstellt. Dennoch könnte es immer noch Passagen geben, denen schwer zu folgen ist, und die vorgegebene Zeit erforderte eine geraffte Darstellung des Arguments. (Eine längere Version einiger dieser Ansichten, die immer noch recht verdichtet ist und immer noch ein Transkript von mündlichen Bemerkungen darstellt, wird an einem anderen Ort erscheinen.) Manchmal mussten Vorbehalte, Ergänzungen und Zuspruch zu meinen Bemerkungen unterdrückt werden, besonders in der Diskussion theoretischer Identifikation und des Körper-Geist-Problems. Wäre dies nicht erfolgt, wären die Fußnoten, die dem Original hinzugefügt wurden, noch sperriger geworden.

From (2) and (3), we can conclude that, for every x and y, if x equals y, then, it is necessary that x equals y:

(4) $(x)(y) ((x = y) \supset \Box (x = y))$

This is because the clause $\Box (x = x)$ of the conditional drops out because it is known to be true. 5

This is an argument which has been stated many times in recent philosophy. Its conclusion, however, has often been regarded as highly paradoxical. For example, David Wiggins, in his paper, "Identity-Statements," says,

> Now there undoubtedly exist contingent identity-state- 10
> ments. Let $a = b$ be one of them. From its simple truth
> and (5) [= (4) above] we can derive '$\Box(a = b)$'. But how
> then can there be any contingent identity-statements?[2]

He then says that five various reactions to this argument are possible, and rejects all of these reactions, and reacts him- 15 self. I do not want to discuss all the possible reactions to this statement, except to mention the second of those Wiggins rejects. This says,

> We might accept the result and plead that provided 'a'
> and 'b' are proper names nothing is amiss. The conse- 20

2 R. J. Butler, ed., *Analytical Philosophy, Second Series*, Basil Blackwell, Oxford, 1965, p. 41.

für alle x und y gilt: wenn x mit y identisch ist, so ist es notwendig, dass x mit y identisch ist:

(4) $\quad (x)(y) ((x = y) \supset \square (x = y))$

Das ist so, weil der Bestandteil $\square (x = x)$ des Konditionals wegfällt, da er bekanntermaßen wahr ist.

Dieses Argument ist in der neueren Philosophie häufig vorgebracht worden. Seine Konklusion wurde allerdings oft als hochgradig paradox aufgefasst. David Wiggins sagt etwa in seinem Aufsatz »Identity-Statements«:

Nun gibt es zweifellos kontingente Identitätsaussagen. Sei $a = b$ eine solche. Aus deren simpler Wahrheit und (5) [= (4) weiter oben] können wir ›$\square(a = b)$‹ ableiten. Aber wie kann es dann irgendwelche kontingenten Identitätsaussagen geben?[2]

Anschließend macht er deutlich, dass fünf verschiedene Reaktionen auf dieses Argument möglich sind, weist sie alle zurück und reagiert seinerseits. Ich möchte nicht alle möglichen, sondern nur die zweite der von Wiggins zurückgewiesenen Reaktionen diskutieren. Sie besagt:

Man könnte das Resultat akzeptieren und sich dafür aussprechen, dass dies kein Problem darstellt, solange es sich bei ›a‹ und ›b‹ um Eigennamen handelt. Die Konsequenz davon ist, dass mit Hilfe von Eigennamen keine

2 R. J. Butler (Hrsg.), *Analytical Philosophy, Second Series*, Oxford: Blackwell, 1965, S. 41.

quence of this is that no [137] contingent identity-statements can be made by means of proper names.

And then he says that he is discontented with this solution and many other philosophers have been discontented with this solution, too, while still others have advocated it.

What makes the statement (4) seem surprising? It says, for any objects x and y, if x is y, then it is necessary that x is y. I have already mentioned that someone might object to this argument on the grounds that premise (2) is already false, that it is not the case that everything is necessarily self-identical. Well, for example, am I myself necessarily self-identical? Someone might argue that in some situations which we can imagine I would not even have existed and therefore the statement "Saul Kripke is Saul Kripke" would have been false or it would not be the case that I was self-identical. Perhaps, it would have been neither true nor false, in such a world, to say that Saul Kripke is self-identical. Well, that may be so, but really it depends on one's philosophical view of a topic that I will not discuss, that is, what is to be said about truth values of statements mentioning objects that do not exist in the actual world or any given possible world or counterfactual situation. Let us interpret necessity here weakly. We can count statements as necessary if whenever the objects mentioned therein exist, the statement would be true. If we wished to be very careful about this, we would have to go into the question of existence as a predicate and ask if the statement can be reformu-

[137] kontingenten Identitätsaussagen gemacht werden können.

Und dann führt er an, dass er wie viele andere Philosophen unzufrieden mit dieser Lösung sei, während wieder andere sie vertreten haben.

Warum erscheint die Aussage (4) so überraschend? Sie besagt, dass für beliebige Gegenstände x und y gilt: Wenn x y ist, so ist es notwendig, dass x y ist. Ich habe bereits erwähnt, dass man gegen dieses Argument einwenden könnte, dass bereits Prämisse (2) falsch ist, dass es nicht der Fall ist, dass alles notwendigerweise mit sich selbst identisch ist. Also etwa: Bin ich notwendigerweise mit mir selbst identisch? Jemand könnte dafür argumentieren, dass ich in manchen vorstellbaren Situationen nicht einmal existiert hätte und daher die Aussage »Saul Kripke ist Saul Kripke« falsch gewesen wäre, oder es nicht der Fall gewesen wäre, dass ich mit mir selbst identisch bin. Vielleicht wäre es in einer solchen Welt weder wahr noch falsch zu sagen, dass Saul Kripke selbst-identisch ist. Nun, das mag so sein, doch es hängt letztlich vom eigenen philosophischen Standpunkt zu einem Thema ab, das ich nicht diskutieren werde: Was gilt es über die Wahrheitswerte von Aussagen zu sagen, die Gegenstände erwähnen, die in der tatsächlichen oder einer gegebenen möglichen Welt oder kontrafaktischen Situation nicht existieren. Man sollte hier Notwendigkeit in einem schwachen Sinne verstehen. Man kann Aussagen dann als notwendig erachten, wenn gilt: Immer dann, wenn die darin erwähnten Gegenstände existieren, ist die Aussage wahr. Wenn man sehr vorsichtig sein wollte, würde man die Frage nach Existenz als ein Prädikat erör-

lated in the form: For every x it is necessary that, if x exists, then x is self-identical. I will not go into this particular form of subtlety here because it is not going to be relevant to my main theme. Nor am I really going to consider formula (4). Anyone who believes formula (2) is, in my opinion, committed to formula (4). If x and y are the same things and we can talk about modal properties of an object at all, that is, in the usual parlance, we can speak of modality *de re* and an object *necessarily* having certain properties as such, then formula (1), I think, has to hold. Where x [sic; F] is any property at all, including a property involving modal operators, and if x and y are the same object and x had a certain property F, then y has to have the same property F. And this is so even if the property F is itself of the form of necessarily having some other property G, in particular that of necessarily being identical to a certain object. Well, I will not discuss the formula (4) itself because by itself it does not assert, of any particular true statement of identity, that it is necessary. It does not say anything about *statements* at all. It says for every *object* x and *object* y, if x and y are the same object, then it is necessary that x and y are the same object. And this, I think, if we think about it (anyway, if someone does not think so, I will not argue for it here), really [138] amounts to something very little different from the statement (2). Since x, by definition of identity, is the only object identical with x, "$(y)(y = x \supset Fy)$" seems to me to be little

tern und fragen müssen, ob die Aussage in die folgende Form überführt werden kann: Für jedes x gilt notwendigerweise: x ist selbst-identisch, wenn x existiert. Ich werde hier diesbezüglich nicht ins Detail gehen, weil das für mein zentrales Thema irrelevant sein wird. Ebenso wenig werde ich Formel (4) näher betrachten. Jeder, der Formel (2) für wahr hält, muss meiner Ansicht nach auch Formel (4) akzeptieren. Wenn x und y dasselbe Ding sind und man überhaupt von modalen Eigenschaften eines Gegenstands reden kann – sprich, über Modalität *de re* und darüber, dass ein Gegenstand bestimmte Eigenschaften *notwendigerweise* haben kann – dann, denke ich, muss (1) gelten. Wenn F irgendeine Eigenschaft ist, einschließlich jener Eigenschaften, die modale Operatoren beinhalten, und wenn x und y derselbe Gegenstand sind und x eine bestimmte Eigenschaft F hat, dann muss y dieselbe Eigenschaft F haben. Und das ist auch dann so, wenn die Eigenschaft F ihrerseits die Eigenschaft ist, notwendigerweise eine andere Eigenschaft G zu haben, insbesondere jene, notwendigerweise identisch mit einem bestimmten Gegenstand zu sein. Nun werde ich nicht Formel (4) selbst diskutieren, da diese für sich genommen von keiner bestimmten wahren Identitätsaussage behauptet, sie sei notwendig. Sie sagt überhaupt nichts über *Aussagen* aus. Sie sagt für alle *Gegenstände* x und alle *Gegenstände* y: Wenn x und y derselbe Gegenstand sind, dann ist es notwendig, dass x und y derselbe Gegenstand sind. Das aber ist, wie mir scheint, wenn man darüber nachdenkt (jedenfalls werde ich hier nicht dafür argumentieren, falls jemand anderer Meinung ist) nichts wesentlich [138] anderes als Aussage (2). Da x aufgrund der Definition der Identität der einzige Gegenstand ist, der mit x

more than a garrulous way of saying 'Fx', and thus $(x)(y)$ $(y = x \supset Fx)$ says the same as $(x)Fx$ no matter what 'F' is – in particular, even if 'F' stands for the property of necessary identity with x. So if x has this property (of necessary identity with x), trivially everything identical with x has it, as (4) asserts. But, from statement (4) one may apparently be able to deduce that various particular statements of identity must be necessary and this is then supposed to be a very paradoxical consequence.

Wiggins says, "Now there undoubtedly exist contingent identity statements." One example of a contingent identity statement is the statement that the first Postmaster General of the United States is identical with the inventor of bifocals, or that both of these are identical with the man claimed by the *Saturday Evening Post* as its founder (*falsely* claimed, I gather, by the way). Now some such statements are plainly contingent. It plainly is a contingent fact that one and the same man both invented bifocals and took on the job of Postmaster General of the United States. How can we reconcile this with the truth of statement (4)? Well, that, too, is an issue I do not want to go into in detail except to be very dogmatic about it. It was I think settled quite well by Bertrand Russell in his notion of the scope of a description. According to Russell, one can, for example, say with propriety that the author of Hamlet might not have written

identisch ist, scheint mir »$(y)(y = x \supset Fy)$« kaum mehr als eine umständliche Art und Weise zu sein, ›Fx‹ zu sagen, und daher drückt $(x)(y)(y = x \supset Fx)$ dasselbe aus wie $(x)Fx$, unabhängig davon, was ›F‹ ist – insbesondere auch dann, wenn ›F‹ für die Eigenschaft steht, notwendigerweise identisch mit x zu sein. Wenn x also diese Eigenschaft hat (notwendigerweise identisch mit x zu sein), dann hat trivialerweise alles, was identisch mit x ist, auch diese Eigenschaft, wie (4) behauptet. Doch aus Aussage (4) lässt sich offenbar ableiten, dass verschiedene einzelne Identitätsaussagen notwendig sein müssen, und das soll dann eine höchst paradoxe Konsequenz sein.

Wiggins sagt: »Nun gibt es unbezweifelbar kontingente Identitätsaussagen.« Ein Beispiel für eine kontingente Identitätsaussage ist die Aussage, dass der erste Postminister der Vereinigten Staaten identisch mit dem Erfinder der Zweistärkenbrille ist, oder die Aussage, dass diese beiden identisch mit dem Mann sind, von dem die *Saturday Evening Post* behauptet, dass er ihr Gründer sei (*fälschlicherweise*, wie ich übrigens hörte). Nun sind einige solcher Aussagen klarerweise kontingent. Es ist klarerweise eine kontingente Tatsache, dass ein und derselbe Mann sowohl die Zweistärkenbrille erfunden als auch den Job des Postministers der Vereinigten Staaten angenommen hat. Wie lässt sich das mit der Wahrheit von Aussage (4) vereinbaren? Auch das ist eine Sache, mit der ich mich nicht im Detail befassen möchte, abgesehen davon, dass ich diesbezüglich sehr dogmatisch bin. Dies wurde, so glaube ich, recht gut von Bertrand Russell und seinem Begriff des Skopus einer Beschreibung geklärt. Russell zufolge kann man etwa korrekterweise behaupten, dass der Autor von *Ham-*

"Hamlet," or even that the author of Hamlet might not have been the author of "Hamlet." Now here, of course, we do not deny the necessity of the identity of an object with itself; but we say it is true concerning a certain man that he in fact was the unique person to have written "Hamlet" and secondly that the man, who in fact was the man who wrote "Hamlet," might not have written "Hamlet." In other words, if Shakespeare had decided not to write tragedies, he might not have written "Hamlet." Under these circumstances, the man who in fact wrote "Hamlet" would not have written "Hamlet." Russell brings this out by saying that in such a statement, the first occurrence of the description "the author of 'Hamlet'" has large scope.[3] That is, we say "The author of 'Hamlet' has the following property: that he might not have written 'Hamlet.'" We *do not* assert that the following statement might have been the case, namely that the author of "Hamlet" did not write "Hamlet," for that is not true. That would be to say that it might have been the case that someone wrote "Hamlet" and yet did not write "Hamlet," which would be a contradiction. Now, aside from the details of Russell's particular for-[139] mulation of it, which depends on his theory of descriptions, this seems to be the distinction that any theory of descriptions has to make. For example, if someone were to meet the President of Harvard and take him to be a Teach-

3 The second occurrence of the description has small scope.

let Hamlet hätte nicht schreiben können, oder sogar, dass der Autor von *Hamlet* nicht der Autor von *Hamlet* hätte sein können. Hier bestreitet man natürlich nicht die Notwendigkeit der Identität eines Gegenstands mit sich selbst,
5 sondern man meint, dass es in Bezug auf einen bestimmten Mann wahr ist, dass er tatsächlich die einzige Person ist, die *Hamlet* geschrieben hat, und dass außerdem dieser Mann, der tatsächlich jener Mann ist, der *Hamlet* geschrieben hat, *Hamlet* hätte nicht schreiben können. Mit anderen Worten:
10 Wenn Shakespeare sich entschieden hätte, keine Tragödien zu schreiben, hätte er *Hamlet* möglicherweise nicht geschrieben. Unter diesen Umständen hätte der Mann, der *Hamlet* tatsächlich geschrieben hat, *Hamlet* nicht geschrieben. Russell drückt dies aus, indem er sagt, dass in einer
15 solchen Aussage die Beschreibung »der Autor von *Hamlet*« beim ersten Auftreten weiten Skopus hat.[3] Man sagt also: »Der Autor von *Hamlet* hat die folgende Eigenschaft: dass er *Hamlet* hätte nicht schreiben können.« Man behauptet damit *nicht*, dass es hätte der Fall sein können, dass der
20 Autor von *Hamlet Hamlet* nicht geschrieben hat, denn das ist nicht wahr. Das würde ja heißen, dass es hätte der Fall sein können, dass jemand *Hamlet* geschrieben hat und dennoch *Hamlet* nicht geschrieben hat, was ein Widerspruch wäre. Diese Unterscheidung scheint jede Theorie
25 von Beschreibungen machen zu müssen, ganz abgesehen von den Details der konkreten [139] Formulierung bei Russell, die von seiner Theorie von Beschreibungen abhängt. Würde jemand beispielsweise den Präsidenten von Harvard treffen und ihn für einen Lehrbeauftragten halten, so

3 Das zweite Vorkommnis der Beschreibung hat engen Skopus.

ing Fellow, he might say: "I took the President of Harvard for a Teaching Fellow." By this he does not mean that he took the proposition "The President of Harvard is a Teaching Fellow" to be true. He could have meant this, for example, had he believed that some sort of democratic system had gone so far at Harvard that the President of it decided to take on the task of being a Teaching Fellow. But that probably is not what he means. What he means instead, as Russell points out, is "Someone is President of Harvard and I took him to be a Teaching Fellow." In one of Russell's examples someone says, "I thought your yacht is much larger than it is." And the other man replies, "No, my yacht is not much larger than it is."

Provided that the notion of modality *de re*, and thus of quantifying into modal contexts, makes any sense at all, we have quite an adequate solution to the problem of avoiding paradoxes if we substitute descriptions for the universal quantifiers in (4) because the only consequence we will draw,[4] for example, in the bifocals case, is that there is a

---

4 In Russell's theory, $F(\imath xGx)$ follows from $(x)Fx$ and $(\exists!x)Gx$, provided that the description in $F(\imath xGx)$ has the entire context for its scope (in Russell's 1905 terminology, has a 'primary occurrence'). Only then is $F(\imath xGx)$ 'about' the denotation of '$\imath xGx$'. Applying this rule to (14), we get the results indicated in the text. Notice that, in the ambiguous form $\Box(\imath xGx = \imath xHx)$, if one or both of the descriptions have 'primary occurrences' the formula does not assert the necessity of $\imath xGx = \imath xHx$; if both have secondary occurrences, it does. Thus in a language without explicit scope indicators, descriptions must be construed with the smallest possible

könnte er sagen: »Ich hielt den Präsidenten von Harvard für einen Lehrbeauftragten.« Damit meint er nicht, dass er die Proposition »Der Präsident von Harvard ist ein Lehrbeauftragter« für wahr hielt. Er hätte das meinen können, wenn er beispielsweise geglaubt hätte, dass irgendein demokratisches System in Harvard so weit geführt hätte, dass der Präsident sich dazu entschieden hätte, die Aufgabe eines Lehrbeauftragten zu übernehmen. Das ist jedoch wahrscheinlich nicht das, was er meint. Wie Russell deutlich macht, ist das, was er stattdessen sagen will: »Jemand ist Präsident von Harvard, und ich hielt ihn für einen Lehrbeauftragten.« In einem von Russells Beispielen sagt jemand: »Ich dachte, deine Jacht sei viel größer als sie ist.« Der andere Mann antwortet: »Nein, meine Jacht ist nicht viel größer als sie ist.«

Vorausgesetzt, dass der Begriff der Modalität *de re* und damit das Quantifizieren in modale Kontexte hinein überhaupt sinnvoll ist, hat man eine befriedigende Lösung für das Problem, Paradoxien zu vermeiden, wenn man die Allquantoren in (4) durch Beschreibungen ersetzt. Die einzige Konsequenz, die man – etwa im Fall der Zweistärkenbrille – ziehen wird[4], besteht darin, dass es einen Mann gibt,

---

4 In Russells Theorie folgt $F(\imath x Gx)$ aus $(x)Fx$ und $(\exists!x)Gx$, sofern der Skopus der Beschreibung in $F(\imath x Gx)$ den gesamten Kontext umfasst (in Russells Terminologie von 1905: wenn die Beschreibung ›primär vorkommt‹). Nur dann ›bezieht sich‹ $F(\imath x Gx)$ auf das von ›$\imath x Gx$‹ Bezeichnete. Wenden wir diese Regel auf (4) an, bekommen wir diejenigen Ergebnisse, auf die im Text verwiesen wird. Man beachte, dass die Formel in der mehrdeutigen Form $\Box(\imath x Gx = \imath x Hx)$ nicht die Notwendigkeit von $\imath x Gx = \imath x Hx$ ausdrückt, wenn eine oder beide der Beschreibungen ›primär vorkommen‹; wohl aber, wenn beide sekundär vorkommen. Daher muss Beschreibungen in einer Sprache ohne explizite Skopus-

man who both happened to have invented bifocals and happened to have been the first Postmaster General of the United States, and is necessarily self-identical. There is an object x such that x invented bifocals, and as a matter of contingent fact an object y, such that y is the first Postmaster General of the United States, and finally, it is necessary, that x is y. What are x and y here? Here, x and y are both Benjamin Franklin, and it can certainly be necessary that Benjamin Franklin is identical with himself. So, there is no problem in the case of descriptions if we accept Russell's notion of scope.[5] And I just dogmatically [140] want to drop

scope – only then will $\sim A$ be the negation of A, $\Box A$ the necessitation of A, and the like.

5 An earlier distinction with the same purpose was, of course, the medieval one of *de dicto – de re*. That Russell's distinction of scope eliminates modal paradoxes has been pointed out by many logicians, especially Smullyan.

So as to avoid misunderstanding, let me emphasize that I am of course not asserting that Russell's notion of scope solves Quine's problem of 'essentialism'; what it does show, especially in conjunction with modern model-theoretic approaches to modal logic, is that quantified modal logic need not deny the truth of all instances of $(x)(y)(x = y \cdot \supset \cdot Fx \supset Fy)$, nor of all instances of '$(x) (Gx \supset Ga)$' (where 'a' is to be replaced by a nonvacuous definite description whose scope is all of 'Ga'), in order to avoid making it a necessary truth that one and the same man invented bifocals and headed the original Postal Department. Russell's contextual definition of description need not be adopted in order to ensure these results; but other logical theories, Fregean or other, which take descrip-

der zufälligerweise sowohl die Zweistärkenbrille erfunden hat als auch der erste Postminister der Vereinigten Staaten war, und dass dieser notwendigerweise selbst-identisch ist. Es gibt einen Gegenstand x, so dass x die Zweistärkenbrille erfunden hat, und es gibt kontingenterweise einen Gegenstand y, so dass y der erste Postminister der Vereinigten Staaten ist, und schließlich ist es notwendig, dass x y ist. Was ist hier x und y? Sowohl x als auch y ist hier Benjamin Franklin, und es kann zweifellos notwendig sein, dass Benjamin Franklin mit sich selbst identisch ist. Sollten wir Russells Begriff des Skopus akzeptieren, gibt es also im Fall von Beschreibungen kein Problem.[5] Damit möchte ich diese

Indikatoren der engstmögliche Skopus zugeschrieben werden – nur dann drückt $-A$ die Negation von A aus, $\Box A$ die Notwendigkeit von A, und so weiter.

[5] Eine frühere Unterscheidung mit demselben Zweck war natürlich die mittelalterliche von *de dicto* und *de re*. Darauf, dass Russells Skopus-Unterscheidung modale Paradoxien auflöst, wurde von vielen Logikern hingewiesen, insbesondere von Smullyan. Um Missverständnissen vorzubeugen, möchte ich hervorheben, dass ich natürlich nicht behaupte, dass Russells Begriff des Skopus Quines Problem des ›Essenzialismus‹ löst; was er insbesondere in Verbindung mit modernen modelltheoretischen Ansätzen in der Modallogik aufzeigt, ist, dass quantifizierte Modallogik weder die Wahrheit aller Instanzen von $(x)(y)(x = y \cdot \supset \cdot Fx \supset Fy)$ noch aller Instanzen von ›$(x) (Gx \supset Ga)$‹ (wobei ›a‹ durch eine nichtleere bestimmte Beschreibung zu ersetzen ist, deren Skopus ›Ga‹ vollständig umfasst) zurückweisen muss, um zu verhindern, dass es zu einer notwendigen Wahrheit wird, dass derselbe Mann die Zweistärkenbrille erfand und das ursprüngliche Postministerium leitete. Russells kontextuale Definition von Beschreibungen muss nicht übernommen werden, um dieses Resultat sicherzustellen; dennoch muss jedwede andere logische Theorie, sei es die

that question here and go on to the question about names which Wiggins raises. And Wiggins says he might accept the result and plead that, provided *a* and *b* are proper names, nothing is amiss. And then he rejects this.

Now what is the special problem about proper names? At least if one is not familiar with the philosophical literature about this matter, one naively feels something like the following about proper names. First, if someone says "Cicero was an orator," then he uses the name 'Cicero' in that statement simply to pick out a certain object and then to ascribe a certain property to the object, namely, in this case, he ascribes to a certain man the property of having been an

tions as primitive must somehow express the same logical facts. Frege showed that a simple, non-iterated context containing a definite description with small scope, which cannot be interpreted as being 'about' the denotation of the description, can be interpreted as about its 'sense'. Some logicians have been interested in the question of the conditions under which, in an intensional context, a description with small scope is equivalent to the same one with large scope. One of the virtues of a Russellian treatment of descriptions in modal logic is that the answer (roughly that the description be a 'rigid designator' in the sense of this lecture) then often follows from the other postulates for quantified modal logic: no special postulates are needed, as in Hintikka's treatment. Even if descriptions are taken as primitive, special postulation of when scope is irrelevant can often be deduced from more basic axioms.

Frage hier dogmatisch [140] fallen lassen und zu der Frage zu Eigennamen kommen, die Wiggins aufwirft. Wiggins sagt, er könnte das Resultat akzeptieren und sich dafür ausssprechen, dass alles in Ordnung sei, solange es sich bei *a* und *b* um Eigennamen handelte. Doch dann verwirft er dies.

Worin besteht nun das besondere Problem bei Eigennamen? Solange man mit der philosophischen Literatur zu dem Thema nicht vertraut ist, hat man wohl die folgende Vorstellung bezüglich Eigennamen. Wenn jemand »Cicero war ein Redner« sagt, benutzt er erstens den Namen ›Cicero‹ in dieser Aussage lediglich dazu, ein bestimmtes Objekt herauszugreifen und ihm dann eine bestimmte Eigenschaft zuzuschreiben; in diesem Fall schreibt er einem bestimmten Mann die Eigenschaft zu, ein Redner gewesen

Frege'sche oder eine andere, die Beschreibungen als grundlegend versteht, irgendwie dieselben logischen Tatsachen ausdrücken. Frege hat gezeigt, dass ein einfacher nicht-iterierter Kontext, der eine bestimmte Beschreibung mit engem Skopus enthält und nicht so interpretiert werden kann, dass er sich auf das von der Beschreibung Bezeichnete bezieht, so verstanden werden kann, dass er sich auf deren ›Sinn‹ bezieht. Manche Logiker haben sich für die Frage interessiert, was die Bedingungen dafür sind, dass in einem intensionalen Kontext eine Beschreibung mit engem Skopus äquivalent zu derselben Beschreibung mit weitem Skopus ist. Einer der Vorteile einer Russell'schen Behandlung von Beschreibungen in der Modallogik besteht darin, dass die Antwort (grob gesagt, dass die Beschreibung ein ›starrer Bezeichner‹ im Sinne dieser Vorlesung ist) dann häufig aus den anderen Postulaten der quantifizierten Modallogik folgt: Anders als in Hintikkas Behandlung sind keine besonderen Postulate nötig. Selbst wenn Beschreibungen als grundlegend aufgefasst werden, können spezielle Postulate darüber, wann der Skopus irrelevant ist, häufig von grundlegenderen Axiomen abgeleitet werden.

orator. If someone else uses another name, such as, say, 'Tully', he is still speaking about the same man. One ascribes the same property, if one says "Tully is an orator," to the same man. So to speak, the fact, or state of affairs, represented by the statement is the same whether one says "Cicero is an orator" or one says "Tully is an orator." It would, therefore, seem that the function of names is *simply* to refer, and not to describe the objects so named by such properties as "being the inventor of bifocals" or "being the first Postmaster General." It would seem that Leibniz' law and the law (1) should not only hold in the universally quantified form, but also in the form "if $a = b$ and Fa, then Fb," wherever 'a' and 'b' stand in place of names and 'F' stands in place of a predicate expressing a genuine property of the object:

$$(a = b \cdot Fa) \supset Fb$$

We can run the same argument through again to obtain the conclusion where 'a' and 'b' replace any names, "if $a = b$, then necessarily $a = b$." And so, we could venture this conclusion: that whenever 'a' and 'b' are proper names, if a is b, that it is necessary that a is b. Identity statements between proper names have to be necessary if they are going to be true at all. This view in fact has been advocated, for ex-[141]ample, by Ruth Barcan Marcus in a paper of hers

zu sein. Wenn jemand anderer einen anderen Namen benutzt, sagen wir ›Tullius‹, spricht er immer noch über denselben Mann. Wenn man »Tullius ist ein Redner« sagt, schreibt man demselben Mann dieselbe Eigenschaft zu. Damit ist die Tatsache, oder der Sachverhalt, die bzw. der in der Aussage zum Ausdruck gebracht wird, sozusagen die- bzw. derselbe, ob man nun »Cicero ist ein Redner« oder »Tullius ist ein Redner« sagt. Die Funktion von Eigennamen scheint daher *lediglich* zu sein, etwas zu bezeichnen, und nicht, die so benannten Gegenstände vermittels solcher Eigenschaften wie »der Erfinder der Zweistärkenbrille zu sein« oder »der erste Postminister zu sein« zu beschreiben. Es scheint, als ob das Leibniz'sche Gesetz und das Gesetz (1) nicht nur in allquantifizierter Form gültig sind, sondern auch in der Form »Wenn $a = b$ und Fa, dann Fb«, wann immer ›a‹ und ›b‹ für Eigennamen stehen und ›F‹ für ein Prädikat steht, das eine genuine Eigenschaft des Gegenstands ausdrückt:

$$(a = b \cdot Fa) \supset Fb$$

Man könnte dasselbe Argument durchspielen, um zur Konklusion »Wenn $a = b$, dann ist es notwendig, dass $a = b$« zu kommen, wobei ›a‹ und ›b‹ für beliebige Namen stehen. Man könnte daher diesen Schluss wagen: Wann immer ›a‹ und ›b‹ Eigennamen sind, gilt: Wenn a b ist, dann ist es notwendig, dass a b ist. Identitätsaussagen zwischen Eigennamen müssen notwendig sein, wenn sie überhaupt wahr sein sollen. Diese Ansicht ist tatsächlich vertreten worden, beispielsweise [141] von Ruth Barcan Marcus in einem Aufsatz zur philosophischen Interpretation der Mo-

on the philosophical interpretation of modal logic.[6] According to this view, whenever, for example, someone makes a correct statement of identity between two names, such as, for example, that Cicero is Tully, his statement has to be necessary if it is true. But such a conclusion *seems* plainly to be false. (I, like other philosophers, have a habit of understatement in which "it seems plainly false" means "it is plainly false." Actually, I think the view is true, though not quite in the form defended by Mrs. Marcus.) At any rate, it seems plainly false. One example was given by Professor Quine in his reply to Professor Marcus at the symposium: "I think I see trouble anyway in the contrast between proper names and descriptions as Professor Marcus draws it. The paradigm of the assigning of proper names is tagging. We may tag the planet Venus some fine evening with the proper name 'Hesperus'. We may tag the same planet again someday before sun rise with the proper name 'Phosphorus'." (Quine thinks that something like that actually was done once.) "When, at last, we discover that we have tagged the same planet twice, our discovery is empirical, and not because the proper names were descriptions." According to what we are told, the planet Venus seen in the

---

6 "Modalities and Intensional Languages," *Boston Studies in the Philosophy of Science*, Vol. 1, Humanities Press, New York, 1963, pp. 71 ff. See also the "Comments" by Quine and the ensuing discussion.

dallogik.[6] Wann immer jemand zum Beispiel eine korrekte Aussage über die Identität zwischen zwei Eigennamen macht, wie etwa, dass Cicero Tullius ist, muss seine Aussage dieser Ansicht zufolge notwendig sein, wenn sie wahr ist. Solch eine Schlussfolgerung scheint jedoch schlicht falsch zu sein. (Wie andere Philosophen habe ich die Neigung, ein wenig tiefzustapeln, so dass »es scheint schlicht falsch« »es ist schlicht falsch« bedeutet. Tatsächlich halte ich die Auffassung für wahr, allerdings nicht ganz in der Form, in der Frau Marcus sie vertritt.) Wie auch immer: Sie scheint schlicht falsch zu sein. Professor Quine gab in seiner Antwort auf Professorin Marcus beim Symposium das folgende Beispiel: »Meiner Meinung nach sehe ich ohnehin Schwierigkeiten bei der Unterscheidung zwischen Eigennamen und Beschreibungen, wie Professorin Marcus sie vornimmt. Das Musterbeispiel für die Zuordnung von Eigennamen ist das Versehen mit einem Etikett. Man könnte den Planeten Venus eines schönen Abends mit dem Eigennamen ›Hesperus‹ versehen. Man könnte denselben Planeten ebenfalls eines Morgens vor dem Sonnenaufgang mit dem Eigennamen ›Phosphorus‹ versehen.« (Quine glaubt, dass so etwas wirklich einmal gemacht wurde.) »Wenn wir dann letztlich herausfinden, dass man denselben Planeten zweimal mit einem Namen versehen hat, ist das eine empirische Entdeckung und keine, die damit zu tun hat, dass die Eigennamen Beschreibungen waren.« Dieser Erzählung zufolge wurde der Planet Venus, als er am Morgen zu sehen

6 »Modalities and Intensional Languages«, in: *Boston Studies in the Philosophy of Science*, Bd. 1, New York: Humanities Press, 1963, S. 71 ff. Siehe auch Quines »Kommentare« und die anschließende Diskussion.

morning was originally thought to be a star and was called "the Morning Star," or (to get rid of any question of using a description) was called 'Phosphorus'. One and the same planet, when seen in the evening, was thought to be another star, the Evening Star, and was called "Hesperus." Later on, astronomers discovered that Phosphorus and Hesperus were one and the same. Surely no amount of a priori ratiocination on their part could conceivably have made it possible for them to deduce that Phosphorus is Hesperus. In fact, given the information they had, it might have turned out the other way. Therefore, it is argued, the statement 'Hesperus is Phosphorus' has to be an ordinary contingent, empirical truth, one which might have come out otherwise, and so the view that true identity statements between names are necessary has to be false. Another example which Quine gives in *Word and Object* is taken from Professor Schrödinger, the famous pioneer of quantum mechanics: A certain mountain can be seen from both Tibet and Nepal. When seen from one direction it was called 'Gaurisanker'; when seen from another direction, it was called 'Everest'; and then, later on, the empirical discovery was made that Gaurisanker *is* Everest. (Quine further says that he gathers the example is actually geographically incorrect. I guess one should not rely on physicists for geographical information.) [142]

Of course, one possible reaction to this argument is to deny that names like 'Cicero', 'Tully', 'Gaurisanker', and 'Everest' really are proper names. "Look", someone might

war, ursprünglich für einen Stern gehalten und »der Morgenstern« oder (um jegliche Frage darüber, ob es sich hierbei um eine Beschreibung handelt, im Keim zu ersticken) ›Phosphorus‹ genannt. Ein und derselbe Planet wurde, als er am Abend zu sehen war, für einen anderen Stern gehalten, den Abendstern, und ›Hesperus‹ genannt. Später fanden Astronomen heraus, dass Phosphorus und Hesperus ein und dasselbe sind. Zweifellos hätte auch umfassendste Reflexion a priori es ihnen kaum ermöglicht, abzuleiten, dass Phosphorus Hesperus ist. Auf Basis der Informationen, die ihnen zur Verfügung standen, hätte es tatsächlich auch ganz anders kommen können. Daher muss, so wird argumentiert, »Hesperus ist Phosphorus« eine gewöhnliche kontingente empirische Wahrheit sein – eine, die auch hätte anders sein können; folglich muss die Auffassung, dass wahre Identitätsaussagen zwischen Namen notwendig sind, falsch sein. Ein anderes Beispiel, das Quine in *Word and Object* gibt, stammt von Professor Schrödinger, dem berühmten Pionier der Quantenmechanik: Ein bestimmter Berg ist sowohl von Tibet als auch von Nepal aus sichtbar. Aus der einen Richtung betrachtet nannte man ihn ›Gaurisanker‹; aus der anderen Richtung betrachtet wurde er ›Everest‹ genannt; und später machte man dann die empirische Entdeckung, dass Gaurisanker Everest *ist*. (Quine führt weiter aus, dass das Beispiel, soweit er weiß, geographisch unzutreffend ist. Vermutlich sollte man sich nicht auf Physiker verlassen, wenn es um geographische Informationen geht.) [142]

Gewiss könnte man auf dieses Argument etwa damit reagieren, zu leugnen, dass Namen wie ›Cicero‹, ›Tullius‹, ›Gaurisanker‹ und ›Everest‹ echte Eigennamen sind. Jemand könnte sagen (jemand hat es gesagt: sein Name war

say (someone has said it: his name was 'Bertrand Russell'), "just because statements like "Hesperus is Phosphorus" and "Gaurisanker is Everest" are contingent, we can see that the names in question are not really purely referential. You are not, in Mrs. Marcus' phrase, just 'tagging' an object; you are actually describing it.["] What does the contingent fact that Hesperus is Phosphorus amount to? Well, it amounts to the fact that *the* star in a certain portion of the sky in the evening is *the* star in a certain portion of the sky in the morning. Similarly, the contingent fact that Gaurisanker is Everest amounts to the fact that the mountain viewed from such and such an angle in Nepal is the mountain viewed from such and such another angle in Tibet. Therefore, such names as 'Hesperus' and 'Phosphorus' can only be abbreviations for descriptions. The term 'Phosphorus' *has* to mean "the star seen ...," or (let us be cautious because it actually turned out not to be a star), "the *heavenly body* seen from such and such a position at such and such a time in the morning," and the name 'Hesperus' has to mean "the heavenly body seen in such and such a position at such and such a time in the evening." So, Russell concludes, if we want to reserve the term "name" for things which really just name an object without describing it, the only real proper names we can have are names of our own immediate sense data, objects of our own 'immediate acquaintance'. The only such names which occur in language

›Bertrand Russell‹): Sieh mal, daran, dass Aussagen wie »Hesperus ist Phosphorus« und »Gaurisanker ist Everest« kontingent sind, lässt sich bereits erkennen, dass die entsprechenden Namen nicht wirklich nur referieren. Um es mit den Worten von Frau Marcus zu sagen: Man heftet einem Gegenstand nicht nur ein Etikett an; eigentlich beschreibt man ihn. Worauf läuft nun die kontingente Tatsache, dass Hesperus Phosophorus ist, hinaus? Nun, sie läuft auf die Tatsache hinaus, dass *der* Stern, der sich am Abend in einem bestimmten Bereich des Himmels befindet, *der* Stern ist, der sich am Morgen in einem bestimmten Bereich des Himmels befindet. Gleichermaßen läuft die kontingente Tatsache, dass Gaurisanker Everest ist, auf die Tatsache hinaus, dass der Berg, der von Nepal aus in diesem und jenem Winkel zu sehen ist, derjenige Berg ist, der von Tibet aus in diesem und jenem anderen Winkel zu sehen ist. Daher können solche Namen wie ›Hesperus‹ und ›Phosphorus‹ nur Kurzformen von Beschreibungen sein. Der Ausdruck ›Phosphorus‹ *muss* »der Stern, der ...« oder (wir sollten vorsichtig sein, da sich herausgestellt hat, dass es sich dabei nicht um einen Stern handelt) »der *Himmelskörper*, der an dieser und jener Position zu dieser und jener Zeit am Morgen zu sehen ist«, und ›Hesperus‹ muss »der Himmelskörper, der an dieser und jener Position zu dieser und jener Zeit am Abend zu sehen ist« bedeuten. Russell schließt daraus, dass, wenn man den Ausdruck »Name« auf jene Dinge beschränken will, die einen Gegenstand wirklich nur benennen, ohne ihn zu beschreiben, die einzigen echten Eigennamen, die übrig bleiben, Namen für unsere eigenen unmittelbaren Sinnesdaten, also für Gegenstände sind, die uns selbst ›unmittelbar bekannt‹ sind. Die einzi-

are demonstratives like "this" and "that." And it is easy to see that this requirement of necessity of identity, understood as exempting identities between names from all imaginable doubt, can indeed be guaranteed only for demonstrative names of immediate sense data; for only in such cases can an identity statement between two different names have a general immunity from Cartesian doubt. There are some other things Russell has sometimes allowed as objects of acquaintance, such as one's self; we need not go into details here. Other philosophers (for example, Mrs. Marcus in her reply, at least in the verbal discussion as I remember it – I do not know if this got into print, so perhaps this should not be 'tagged' on her[7]) have said, "If names are really just tags, genuine tags, then a good dictionary should be able to tell us that they are names of the same object." You have an object *a* and an object *b* with names 'John' and 'Joe'. Then, according to Mrs. Marcus, a dictionary should be able to tell you whether or not 'John' and 'Joe' are names of the same object. Of course, I do not know what ideal dictionaries should do, but ordinary [143] proper names do not seem to satisfy this requirement. You certainly *can*, in the case of ordinary proper names, make quite empirical dis-

7 It should. See her remark on p. 115, *op. cit.*, in the discussion following the papers.

gen solchen Namen, die in der Alltagssprache vorkommen, sind Demonstrativpronomen wie »diese(r)« und »jene(r)«. Und es ist leicht einzusehen, dass diese Bedingung der Notwendigkeit von Identität, wenn man sie so versteht, dass sie Identitäten zwischen Namen von jedem denkbaren Zweifel befreit, in der Tat nur im Fall von Demonstrativpronomen für unmittelbare Sinnesdaten garantiert werden kann; schließlich kann eine Identitätsaussage zwischen zwei verschiedenen Namen nur in solchen Fällen grundsätzlich gegen jeden Cartesischen Zweifel erhaben sein. Es gibt noch ein paar andere Dinge, die Russell manchmal als Gegenstände, mit denen man bekannt ist, zugelassen hat, wie etwa das eigene Selbst; die Details muss man hier nicht erörtern. Andere Philosophen (etwa Frau Marcus in ihrer mündlichen Antwort, soweit ich die Diskussion in Erinnerung habe – ich weiß nicht, ob das auch so gedruckt wurde, also sollte man es ihr vielleicht nicht ›anhängen‹[7]) haben gesagt: »Wenn Namen wirklich reine Etiketten sind, genuine Etiketten, dann sollte ein gutes Wörterbuch uns sagen können, dass sie Namen für dasselbe Objekt sind.« Man nehme einen Gegenstand a und einen Gegenstand b mit den Namen ›John‹ und ›Joe‹. Frau Marcus zufolge sollte uns also ein Wörterbuch darüber Aufschluss geben können, ob ›John‹ und ›Joe‹ Namen für denselben Gegenstand sind oder nicht. Tatsächlich weiß ich nicht, was ideale Wörterbücher leisten sollten, doch dürften gewöhnliche [143] Eigennamen dieser Anforderung nicht genügen. Im Fall gewöhnlicher Eigennamen *kann* man sicherlich mehr oder

---

7 Sollte man. Siehe ihre Bemerkung auf S. 115, *op. cit.*, in der an die Aufsätze anschließenden Diskussion.

coveries [sic] that, let's say, Hesperus is Phosphorus, though we thought otherwise. We can be in doubt as to whether Gaurisanker is Everest or Cicero is in fact Tully. Even now, we could conceivably discover that we were wrong in supposing that Hesperus was Phosphorus. Maybe the astronomers made an error. So it seems that this view is wrong and that if by a name we do not mean some artificial notion of names such as Russell's, but a proper name in the ordinary sense, then there can be contingent identity statements using proper names, and the view to the contrary seems plainly wrong.

In recent philosophy a large number of other identity statements have been emphasized as examples of contingent identity statements, different, perhaps, from either of the types I have mentioned before. One of them is, for example, the statement "Heat is the motion of molecules." First, science is supposed to have discovered this. Empirical scientists in their investigations have been supposed to discover (and, I suppose, they did) that the external phenomenon which we call "heat" is, in fact, molecular agitation. Another example of such a discovery is that water is H_2O, and yet other examples are that gold is the element with such and such an atomic number, that light is a stream of photons, and so on. These are all in some sense of "identity statement" identity statements. Second, it is thought, they are plainly contingent identity statements, just because they were scientific discoveries. After all, heat might have

weniger empirische Entdeckungen machen, wie zum Beispiel, dass Hesperus Phosphorus ist, obwohl man vom Gegenteil überzeugt war. Man kann bezweifeln, dass Gaurisanker Everest ist oder dass Cicero tatsächlich Tullius ist. Selbst heute wäre es noch denkbar, dass man entdeckt, dass die Annahme, Hesperus sei Phosphorus, falsch war. Vielleicht haben die Astronomen einen Fehler gemacht. Es scheint also so zu sein, dass diese Ansicht falsch ist, und wenn wir nicht einen künstlichen Begriff von Namen wie den Russell'schen im Sinn haben, sondern Eigennamen im gewöhnlichen Sinne meinen, dann kann es kontingente Identitätsaussagen mit Eigennamen geben, und die gegenteilige Auffassung scheint schlicht falsch zu sein.

In letzter Zeit hat man in der Philosophie eine Vielzahl anderer Identitätsaussagen als Beispiele kontingenter Identitätsaussagen betont, die sich vielleicht von jenen Arten unterscheiden, die ich bisher erwähnt habe. Eine davon ist beispielsweise die Aussage: »Wärme ist die Bewegung von Molekülen.« Erstens sollen die Naturwissenschaften dies herausgefunden haben. Empirische Wissenschaftler sollen in ihren Untersuchungen entdeckt haben (und, so nehme ich an, das taten sie auch), dass das externe Phänomen, das wir »Wärme« nennen, eigentlich molekulare Bewegung ist. Als ein anderes Beispiel für eine solche Entdeckung gilt, dass Wasser H_2O ist, und weitere Beispiele besagen, dass Gold das Element mit dieser und jener Kernladungszahl ist, dass Licht ein Photonenstrom ist, usw. Das alles sind in einem bestimmten Sinne von »Identitätsaussage« Identitätsaussagen. Zweitens geht man davon aus, dass sie schlicht deshalb kontingente Identitätsaussagen sind, weil es sich um wissenschaftliche Entdeckungen handelt. Schließlich hätte sich

turned out not to have been the motion of molecules. There were other alternative theories of heat proposed, for example, the caloric theory of heat. If these theories of heat had been correct, then heat would not have been the motion of molecules, but instead, some substance suffusing the hot object, called "caloric." And it was a matter of course of science and not any logical necessity that the one theory turned out to be correct and the other theory turned out to be incorrect.

So, here again, we have, apparently, another plain example of a contingent identity statement. This has been supposed to be a very important example because of its connection with the mind-body problem. There have been many philosophers who have wanted to be materialists, and to be materialists in a particular form, which is known today as "the identity theory." According to this theory, a certain mental state, such as a person's being in pain, is identical with a certain state of his brain (or, perhaps, of his entire body, according to some theorists), at any rate, a certain material or neural state of his brain or body. And so, according to this theory, my being in pain at this instant, if I were, would be identical with my body's being or my brain's [144] being in a certain state. Others have objected that this cannot be because, after all, we can imagine my pain existing even if the state of the body did not. We can perhaps imagine my not being embodied at all and still being in pain, or, conversely, we could imagine my body ex-

herausstellen können, dass Wärme nicht die Bewegung von Molekülen ist. Es gab andere alternative Theorievorschläge für Wärme, zum Beispiel die kalorische Theorie der Wärme. Wenn diese Theorien der Wärme korrekt gewesen wären, dann wäre Wärme nicht die Bewegung von Molekülen gewesen, sondern eine »kalorisch« genannte Substanz, die den warmen Gegenstand durchdringt. Und es war selbstverständlich eine Sache der Wissenschaft und nicht eine von logischer Notwendigkeit, dass sich die eine Theorie als korrekt und die andere als inkorrekt herausgestellt hat.

Und so kommt man zu einem weiteren anscheinend eindeutigen Beispiel einer kontingenten Identitätsaussage. Dieses hielt man wegen seiner Verbindung zum Körper-Geist-Problem für ein sehr wichtiges Beispiel. Viele Philosophen wollten Materialisten sein, und zwar Materialisten einer bestimmten Ausprägung, die heute als »die Identitätstheorie« bekannt ist. Dieser Theorie zufolge ist ein bestimmter mentaler Zustand, wie etwa der einer Person, Schmerzen zu haben, identisch mit einem bestimmten Zustand ihres Gehirns (oder, einigen Theoretikern zufolge, vielleicht ihres ganzen Körpers), jedenfalls mit einem bestimmten materiellen oder neuronalen Zustand ihres Gehirns oder Körpers. Und so wären laut dieser Theorie meine Schmerzen zu diesem Zeitpunkt, wenn ich welche hätte, identisch mit einem bestimmten Zustand meines Körpers oder meines [144] Gehirns. Andere haben dies abgelehnt, weil man sich nämlich vorstellen kann, dass mein Schmerz auch dann existiert, wenn der körperliche Zustand das nicht tut. Man kann sich vielleicht vorstellen, dass ich gar keinen Körper habe und trotzdem Schmerzen empfinde, oder umgekehrt, dass mein Körper existierte

isting and being in the very same state even if there were no pain. In fact, conceivably, it could be in this state even though there were no mind 'back of it', so to speak, at all. The usual reply has been to concede that all of these things might have been the case, but to argue that these are irrele- vant to the question of the identity of the mental state and the physical state. This identity, it is said, is just another contingent scientific identification, similar to the identifica- tion of heat with molecular motion, or water with H_2O. Just as we can imagine heat without any molecular motion, so we can imagine a mental state without any correspond- ing brain state. But, just as the first fact is not damaging to the identification of heat and the motion of molecules, so the second fact is not at all damaging to the identification of a mental state with the corresponding brain state. And so, many recent philosophers have held it to be very important for our theoretical understanding of the mind-body prob- lem that there can be contingent identity statements of this form.

To state finally what *I* think, as opposed to what seems to be the case, or what others think, I think that in both cases, the case of names and the case of the theoretical identifica- tions, the identity statements are necessary and not contin- gent. That is to say, they are necessary if *true*; of course, false identity statements are not necessary. How can one

und sich in genau demselben Zustand befinden würde, auch wenn es keine Schmerzen geben würde. Es sei sogar vorstellbar, dass er in diesem Zustand sein könnte, auch wenn sozusagen gar kein Geist ›dahinter‹ existierte. Die übliche Antwort bestand darin, zuzugestehen, dass all das der Fall hätte sein können, sich aber dafür auszusprechen, dass das für die Frage der Identität des mentalen Zustands mit dem physischen Zustand irrelevant ist. Diese Identität, so wird behauptet, ist lediglich eine von vielen kontingenten wissenschaftlichen Identifikationen, ähnlich der Identifikation von Wärme mit Molekularbewegung, oder der von Wasser mit H_2O. Ähnlich wie wir uns Wärme ohne jede Molekularbewegung vorstellen können, können wir uns einen mentalen Zustand ohne einen entsprechenden Hirnzustand vorstellen. Doch ähnlich wie die erste Tatsache der Identifikation von Wärme und Molekularbewegung keinen Schaden zufügt, fügt auch die zweite Tatsache der Identifikation eines mentalen Zustandes mit dem entsprechenden Hirnzustand keinerlei Schaden zu. Und so hielten es in jüngster Zeit viele Philosophen für unser theoretisches Verständnis des Körper-Geist-Problems für sehr wichtig, dass es kontingente Identitätsaussagen dieser Art geben kann.

Um nun schließlich das auszudrücken, von dem *ich* überzeugt bin, im Gegensatz zu dem, was der Fall zu sein scheint, oder was andere glauben: Ich bin der Meinung, dass die Identitätsaussagen in beiden Fällen – sowohl im Fall von Namen als auch im Fall von theoretischen Identifikationen – notwendig und nicht kontingent sind. Damit will ich sagen, dass sie notwendig sind, wenn sie *wahr* sind; selbstverständlich sind falsche Identitätsaussagen nicht

possibly defend such a view? Perhaps I lack a complete answer to this question, even though I am convinced that the view is true. But to begin an answer, let me make some distinctions that I want to use. The first is between a *rigid* and a *nonrigid designator*. What do these terms mean? As an example of a nonrigid designator, I can give an expression such as 'the inventor of bifocals'. Let us suppose it was Benjamin Franklin who invented bifocals, and so the expression, 'the inventor of bifocals', designates or refers to a certain man, namely, Benjamin Franklin. However, we can easily imagine that the world could have been different, that under different circumstances someone else would have come upon this invention before Benjamin Franklin did, and in that case, *he* would have been the inventor of bifocals. So, in this sense, the expression 'the inventor of bifocals' is nonrigid: Under certain circumstances one man would have been the inventor of bifocals; under other circumstances, another man would have. In contrast, consider the expression 'the square root of 25'. Independently of the empirical facts, we can give an arithmetical proof that the square root [145] of 25 is in fact the number 5, and because we have proved this mathematically, what we have proved is necessary. If we think of numbers as entities at all, and let us suppose, at least for the purpose of this lecture, that we do, then the expression 'the square root of 25' necessarily

notwendig. Wie kann man nur so eine Auffassung vertreten? Vielleicht mangelt es mir an einer vollständigen Antwort auf diese Frage, auch wenn ich davon überzeugt bin, dass die Auffassung richtig ist. Um mit der Formulierung einer Antwort zu beginnen, möchte ich einige nützliche Unterscheidungen einführen. Die erste ist die zwischen einem *starren* und einem *nicht-starren* Bezeichner. Was bedeuten diese Ausdrücke? Als Beispiel für einen nicht-starren Bezeichner kann ich einen Ausdruck wie ›der Erfinder der Zweistärkenbrille‹ anführen. Angenommen, es ist Benjamin Franklin gewesen, der die Zweistärkenbrille erfunden hat, und der Ausdruck ›der Erfinder der Zweistärkenbrille‹ bezeichnet oder bezieht sich daher (auf) einen bestimmten Mann, nämlich Benjamin Franklin. Man kann sich aber ganz einfach vorstellen, dass die Welt anders hätte sein können; dass unter anderen Umständen jemand anders die Erfindung hätte machen können, bevor sie Benjamin Franklin gemacht hatte, und dass *jener* in diesem Fall der Erfinder der Zweistärkenbrille gewesen wäre. Daher ist der Ausdruck ›der Erfinder der Zweistärkenbrille‹ so gesehen nicht-starr: Unter bestimmten Umständen wäre jemand der Erfinder der Zweistärkenbrille gewesen; unter anderen Umständen jemand anders. Betrachten wir im Gegensatz dazu den Ausdruck ›die Quadratwurzel von 25‹. Wir können unabhängig von empirischen Tatsachen einen arithmetischen Beweis liefern, dass es sich bei der Quadratwurzel [145] von 25 um die Zahl 5 handelt, und weil wir dies mathematisch bewiesen haben, ist das Bewiesene notwendig. Wenn man sich Zahlen überhaupt als Entitäten vorstellt – ich möchte das zumindest zum Zweck dieser Vorlesung annehmen –, dann bezeichnet der Ausdruck ›die

designates a certain number, namely 5. Such an expression I call 'a *rigid* designator'. Some philosophers think that anyone who even uses the notions of rigid or nonrigid designator has already shown that he has fallen into a certain confusion or has not paid attention to certain facts. What do I mean by 'rigid designator'? I mean a term that designates the same object in all possible worlds. To get rid of one confusion which certainly is not mine, I do not use "might have designated a different object" to refer to the fact that language might have been used differently. For example, the expression 'the inventor of bifocals' might have been used by inhabitants of this planet always to refer to the man who corrupted Hadleyburg. This would have been the case, if, first, the people on this planet had not spoken English, but some other language, which phonetically overlapped with English; and if, second, in that language the expression 'the inventor of bifocals' meant the 'man who corrupted Hadleyburg'. Then it would refer, of course, in their language, to whoever in fact corrupted Hadleyburg in this counterfactual situation. That is not what I mean. What I mean by saying that a description might have referred to something different, I mean that in *our* language as *we* use it in describing a counterfactual situation, there might have been a different object satisfying the descriptive conditions

Quadratwurzel von 25‹ notwendigerweise eine bestimmte Zahl, nämlich die 5. Einen solchen Ausdruck nenne ich einen ›starren Bezeichner‹. Manche Philosophen glauben, dass jeder, der auch nur die Begriffe eines starren oder nicht-starren Bezeichners verwendet, bereits gezeigt hat, dass er einer gewissen Verwirrung zum Opfer gefallen ist oder bestimmten Tatsachen nicht genug Aufmerksamkeit geschenkt hat. Was meine ich mit einem ›starren Bezeichner‹? Ich meine einen Ausdruck, der in allen möglichen Welten denselben Gegenstand bezeichnet. Um eine Verwechslung zu vermeiden, die mit Sicherheit nicht die meine ist, verwende ich »hätte auch einen anderen Gegenstand bezeichnen können« nicht, um auf die Tatsache zu verweisen, dass Sprache anders gebraucht hätte werden können. Zum Beispiel hätte der Ausdruck ›der Erfinder der Zweistärkenbrille‹ von Bewohnern dieses Planeten immer dafür gebraucht werden können, den Mann zu bezeichnen, der Hadleyburg korrumpierte. Das wäre der Fall gewesen, wenn erstens die Menschen auf diesem Planeten nicht Englisch, sondern eine andere Sprache gesprochen hätten, die mit Englisch phonetisch teilweise deckungsgleich ist; und wenn zweitens in dieser Sprache der Ausdruck ›der Erfinder der Zweistärkenbrille‹ ›der Mann, der Hadleyburg korrumpierte‹ bedeutet hätte. Dann würde er, natürlich in deren Sprache, denjenigen bezeichnen, der in der kontrafaktischen Situation tatsächlich Hadleyburg korrumpierte. Das meine ich jedoch nicht. Wenn ich behaupte, dass eine Beschreibung etwas anderes hätte bezeichnen können, meine ich, dass in *unserer* Sprache, so wie *wir* sie gebrauchen, um eine kontrafaktische Situation zu beschreiben, ein anderer Gegenstand die Bedingungen der Beschreibung hätte er-

we give for reference. So, for example, we use the phrase 'the inventor of bifocals', when we are talking about another possible world or a counterfactual situation, to refer to whoever in that counterfactual situation would have invented bifocals, not to the person whom people *in* that counterfactual situation would have called 'the inventor of bifocals'. *They* might have spoken a different language which phonetically overlapped with English in which 'the inventor of bifocals' is used in some other way. I am *not* concerned with that question here. For that matter, they might have been deaf and dumb, or there might have been no people at all. (There still could have been an inventor of bifocals even if there were no people – God, or Satan, will do.)

Second, in talking about the notion of a rigid designator, I do not mean to imply that the object referred to has to exist in all possible worlds, that is, that it has to necessarily exist. Some things, perhaps mathematical entities such as the positive integers, if they exist at all, necessarily exist. Some people have held that God both exists and necessarily exists; others, that He contingently exists; others, that He [146] contingently fails to exist; and others, that He necessarily fails to exist:[8] all four options have been tried. But at

---

8 If there is no deity, and especially if the nonexistence of a deity is

füllen können, die *wir* zum Zweck der Referenz angeben. Wir nutzen den Ausdruck ›der Erfinder der Zweistärkenbrille‹ zum Beispiel dann, wenn wir über eine andere mögliche Welt oder eine kontrafaktische Situation sprechen,
5 um wen auch immer zu bezeichnen, der in der kontrafaktischen Situation die Zweistärkenbrille erfunden hätte, und nicht jene Person, die die Menschen *in* dieser kontrafaktischen Situation ›der Erfinder der Zweistärkenbrille‹ genannt haben würden. *Sie* hätten eine andere Sprache spre-
10 chen können, die phonetisch mit Englisch teilweise deckungsgleich ist, in der ›der Erfinder der Zweistärkenbrille‹ auf andere Weise gebraucht wird. Um diese Frage geht es mir hier jedoch *nicht*. Was das betrifft, hätten sie taubstumm sein oder es hätte gar keine Menschen geben kön-
15 nen. (Es hätte dennoch einen Erfinder der Zweistärkenbrille geben können, selbst wenn es keine Menschen gegeben hätte – Gott oder der Teufel würde völlig ausreichen.)

Wenn ich vom Begriff eines starren Bezeichners spreche, will ich zweitens nicht den Eindruck erwecken, dass der bezeichnete Gegenstand in allen möglichen Welten, d. h. notwendig, existieren muss. Manche Dinge, etwa mathematische Entitäten wie die positiven ganzen Zahlen, existieren notwendig, wenn sie überhaupt existieren. Manche haben die Auffassung vertreten, dass Gott sowohl existiert als auch notwendigerweise existiert; andere, dass Er kontingent existiert; andere, dass Er [146] kontingent nicht existiert, und andere, dass Er notwendigerweise nicht existiert:[8] Alle vier Möglichkeiten wurden ausprobiert. Wenn

8 Wenn keine Gottheit existiert, und insbesondere, wenn die Nichtexistenz einer Gottheit *notwendig* ist, dann ist es zweifel-

any rate, when I use the notion of rigid designator, I do not imply that the object referred to necessarily exists. All I mean is that in any possible world where the object in question *does* exist, in any situation where the object *would* exist, we use the designator in question to designate that object. In a situation where the object does not exist, then we should say that the designator has no referent and that the object in question so designated does not exist.

As I said, many philosophers would find the very notion of rigid designator objectionable per se. And the objection that people make may be stated as follows: Look, you're talking about situations which are counterfactual, that is to say, you're talking about other possible worlds. Now these worlds are completely disjoint, after all, from the actual world which is not just another possible world; it is the actual world. So, before you talk about, let us say, such an object as Richard Nixon in another possible world at all, you have to say which object in this other possible world would *be* Richard Nixon. Let us talk about a situation in which, as *you* would say, Richard Nixon would have been a member of SDS. Certainly the member of SDS you are talking about is someone very different in many of his properties from Nixon. Before we even can say whether this man would

necessary, it is dubious that we can use "He" to refer to a deity. The use in the text must be taken to be non-literal.

ich den Begriff eines starren Bezeichners benutze, will ich jedenfalls nicht darauf hinaus, dass der bezeichnete Gegenstand notwendigerweise existiert. Alles, was ich sagen will, ist, dass man den Bezeichner in jeder möglichen Welt, in der der fragliche Gegenstand existiert, in jeder Situation, in der der Gegenstand existieren *würde*, nutzt, um diesen Gegenstand zu bezeichnen. In einer Situation, in der der Gegenstand nicht existiert, sollte man sagen, dass der Bezeichner nichts bezeichnet und dass der fragliche auf diese Weise bezeichnete Gegenstand nicht existiert.

Wie ich bereits ausgeführt habe, würden viele Philosophen den Begriff eines starren Bezeichners an sich für unzulässig halten. Und der Einwand, der vorgebracht wird, kann wie folgt ausgedrückt werden: Sieh mal, du redest von kontrafaktischen Situationen, du sprichst also von anderen möglichen Welten. Nun sind diese Welten letztlich vollständig getrennt von der tatsächlichen Welt, die nicht einfach eine weitere mögliche Welt ist; sie ist die tatsächliche Welt. Bevor man nun überhaupt von einem Gegenstand wie etwa Richard Nixon in einer anderen möglichen Welt spricht, muss man äußern, welcher Gegenstand in dieser anderen möglichen Welt Richard Nixon *sein* würde. Gehen wir einmal von einer Situation aus, in der, wie *du* es ausdrücken würdest, Richard Nixon ein Mitglied der SDS gewesen wäre. Bestimmt ist das Mitglied der SDS, von dem du sprichst, hinsichtlich vieler seiner Eigenschaften von Nixon verschieden. Bevor man überhaupt sagen kann, ob

haft, dass wir »Er« nutzen können, um auf eine Gottheit Bezug zu nehmen. Der Gebrauch im Text muss also als nicht-wörtlich aufgefasst werden.

have been Richard Nixon or not, we have to set up criteria of identity across possible worlds. Here are these other possible worlds. There are all kinds of objects in them with different properties from those of any actual object. Some of them resemble Nixon in some ways, some of them resemble Nixon in other ways. Well, which of these objects is Nixon? One has to give a criterion of identity. And this shows how the very notion of rigid designator runs in a circle. Suppose we designate a certain number as the number of planets. Then, if that is our favorite way, so to speak, of designating this number, then in any other possible worlds we will have to identify whatever number is the number of planets with the number 9, which in the actual world is the number of planets. So, it is argued by various philosophers, for example, implicitly by Quine, and explicitly by many others in his wake, we cannot really ask whether a designator is rigid or nonrigid because we first need a criterion of identity across possible worlds. An extreme view has even been held that, since possible worlds are so disjoint from our own, we cannot really say that any object in them is the *same* as an object existing now but only that there [147] are some objects which resemble things in the actual world, more or less. We, therefore, should not really speak of what would have been true of Nixon in another possible world but, only of what 'counterparts' (the term which David

dieser Mann Richard Nixon gewesen wäre oder nicht, muss man Identitätskriterien über mögliche Welten hinweg festlegen. Hier sind diese anderen möglichen Welten. In ihnen gibt es alle möglichen Arten von Gegenständen, die andere Eigenschaften haben als jene, die irgendein tatsächlicher Gegenstand hat. Einige von ihnen ähneln Nixon in einer Hinsicht, andere ähneln Nixon in anderer Hinsicht. Welcher dieser Gegenstände ist Nixon? Man muss ein Identitätskriterium angeben. Und das zeigt, wie der Begriff eines starren Bezeichners sich grundsätzlich im Kreis dreht. Angenommen, man bezeichnet eine bestimmte Zahl als die Zahl der Planeten. Wenn das nun, wenn man so will, die bevorzugte Weise ausmacht, diese Zahl zu bezeichnen, dann muss man in allen anderen möglichen Welten jene Zahl, die die Zahl der Planeten ist, mit der Zahl 9 identifizieren, die in der tatsächlichen Welt die Zahl der Planeten ist. Einige Philosophen – implizit beispielsweise Quine, und explizit viele andere, die in seiner Tradition stehen – argumentieren nun, dass man nicht wirklich danach fragen kann, ob ein Bezeichner nun starr oder nicht-starr ist, da man zuerst ein Identitätskriterium über mögliche Welten hinweg benötigt. Sogar die extreme Ansicht, dass man nicht wirklich sagen kann, dass irgendein Gegenstand in einer möglichen Welt *derselbe* ist wie ein Gegenstand, der jetzt existiert, sondern nur, dass es [147] einige Gegenstände gibt, die Gegenständen in der tatsächlichen Welt mehr oder weniger ähneln, da mögliche Welten von unserer so abgetrennt sind, wurde vertreten. Man sollte daher eigentlich nicht davon sprechen, was in Bezug auf Nixon in einer anderen möglichen Welt wahr gewesen wäre, sondern nur davon, welche ›Gegenstücke‹ (so lautet der Ausdruck, den

Lewis uses[9]) of Nixon there would have been. Some people in other possible worlds have dogs whom they call 'Checkers'. Others favor the ABM but do not have any dog called Checkers. There are various people who resemble Nixon more or less, but none of them can really be said to be Nixon; they are only *counterparts* of Nixon, and you choose which one is the best counterpart by noting which resembles Nixon the most closely, according to your favorite criteria. Such views are widespread, both among the defenders of quantified modal logic and among its detractors.

All of this talk seems to me to have taken the metaphor of possible worlds much too seriously in some way. It is as if a 'possible world' were like a foreign country, or distant planet way out there. It is as if we see dimly through a telescope various actors on this distant planet. Actually David Lewis' view seems the most reasonable if one takes this picture literally. No one far away on another planet can be strictly identical with someone here. But, even if we have some marvelous methods of transportation to take one and the same person from planet to planet, we really need some epistemological criteria of identity to be able to say whether someone on this distant planet is the same person as someone here.

All of this seems to me to be a totally misguided way of

---

9 David K. Lewis, "Counterpart Theory and Quantified Modal Logic," *Journal of Philosophy*, LXV (1968), pp. 113 ff.

David Lewis benutzt[9]) zu Nixon es gegeben hätte. Manche Personen in anderen möglichen Welten haben Hunde, die sie ›Checkers‹ nennen. Andere befürworten den ABM-Vertrag, haben aber keinen Hund namens Checkers. Es gibt eine Reihe von Personen, die Nixon mehr oder weniger ähneln, doch man kann von keiner von ihnen behaupten, dass sie wirklich Nixon ist; sie sind nur *Gegenstücke* zu Nixon, und man wählt aus, welche das beste Gegenstück ist, indem man prüft, wer gemäß den bevorzugten Kriterien Nixon am ähnlichsten ist. Solche Auffassungen sind sowohl unter Verteidigern als auch unter Kritikern der quantifizierten Modallogik weit verbreitet.

All dieses Gerede scheint mir die Metapher möglicher Welten irgendwie viel zu ernst zu nehmen. Es ist, als wäre eine ›mögliche Welt‹ ein fremdes Land oder ein weit entfernter Planet da draußen. Es ist, als sähen wir verschiedene Akteure auf diesem entfernten Planeten undeutlich durch ein Fernrohr. David Lewis' Ansicht scheint tatsächlich die vernünftigste zu sein, wenn man dieses Bild wörtlich nimmt. Niemand, der sich weit entfernt auf einem anderen Planeten befindet, kann streng genommen mit jemandem hier identisch sein. Doch selbst dann, wenn wir einige großartige Transportmöglichkeiten haben, um ein und dieselbe Person von Planet zu Planet zu befördern, brauchen wir wirklich epistemologische Identitätskriterien, um feststellen zu können, ob jemand auf diesem entfernten Planeten dieselbe Person wie jemand hier ist.

All das scheint mir eine gänzlich fehlgeleitete Art und

---

9 David K. Lewis, »Counterpart Theory and Quantified Modal Logic«, in: *Journal of Philosophy* LXV (1968) S. 113 ff.

looking at things. What it amounts to is the view that counterfactual situations have to be described purely qualitatively. So, we cannot say, for example, "If Nixon had only given a sufficient bribe to Senator X, he would have gotten Carswell through" because that refers to certain people, Nixon and Carswell, and talks about what things would be true of them in a counterfactual situation. We must say instead "If a man who has a hairline like such and such, and holds such and such political opinions had given a bribe to a man who was a senator and had such and such other qualities, then a man who was a judge in the South and had many other qualities resembling Carswell would have been confirmed." In other words, we must describe counterfactual situations purely qualitatively and then ask the question, "Given that the situation contains people or things with such and such qualities, which of these people is (or is a counterpart of) Nixon, which is Carswell, and so on?" This seems to me to be wrong. Who is to prevent us from saying [148] "Nixon might have gotten Carswell through had he done certain things"? We are speaking of *Nixon* and asking what, in certain counterfactual situations, would have been true of *him*. We can say that if Nixon had done such and such, he would have lost the election to Humphrey. Those I am opposing would argue, "Yes, but how do you find out if the man you are talking about is in fact Nixon?" It would indeed be very hard to find out, if you

Weise zu sein, die Dinge zu betrachten. Sie läuft auf die Auffassung hinaus, dass kontrafaktische Situationen rein qualitativ beschrieben werden müssen. Man kann also beispielsweise nicht sagen: »Wenn Nixon nur ein hinreichend hohes Bestechungsgeld an Senator x bezahlt hätte, dann hätte er Carswell durchgebracht«, weil sich das auf bestimmte Personen, Nixon und Carswell, bezieht und sich darum dreht, welche Dinge in Bezug auf diese in einer kontrafaktischen Situation wahr wären. Stattdessen muss man sagen: »Wenn ein Mann, der einen Haaransatz dieser und jener Art hat und diese und jene politischen Meinungen vertritt, ein Bestechungsgeld an einen Mann bezahlt hätte, der ein Senator ist und diese und jene anderen Eigenschaften hat, dann wäre ein Mann, der ein Richter im Süden ist und viele andere Eigenschaften hat, die jenen von Carswell ähneln, in seinem Amt bestätigt worden.« Mit anderen Worten: Man muss kontrafaktische Situationen rein qualitativ beschreiben und dann die Frage stellen: »Vorausgesetzt, dass die Situation Personen oder Gegenstände beinhaltet, die diese und jene Eigenschaften haben, welche von diesen Personen ist dann (das Gegenstück zu) Nixon, welche ist Carswell und so weiter?« Das scheint mir falsch zu sein. Wer soll einen davon abhalten zu sagen: [148] »Nixon hätte Carswell durchbringen können, hätte er bestimmte Dinge getan«? Man spricht von *Nixon* und fragt, was in bestimmten kontrafaktischen Situationen in Bezug auf *ihn* wahr gewesen wäre. Man kann sagen, dass Nixon die Wahl an Humphrey verloren hätte, wenn er sich so und so verhalten hätte. Diejenigen, gegen die ich mich wende, würden behaupten: »Ja, doch wie findet man heraus, ob der Mann, von dem man spricht, tatsächlich Nixon ist?« Dies wäre in

were looking at the whole situation through a telescope, but that is not what we are doing here. Possible worlds are not something to which an epistemological question like this applies. And if the phrase 'possible worlds' is what makes anyone think some such question applies, he should just *drop* this phrase and use some other expression, say 'counterfactual situation,' which might be less misleading. If we say "If Nixon had bribed such and such a Senator, Nixon would have gotten Carswell through," what is *given* in the very description of that situation is that it is a situation in which we are speaking of Nixon, and of Carswell, and of such and such a Senator. And there seems to be no less objection to *stipulating* that we are speaking of certain *people* than there can be objection to stipulating that we are speaking of certain *qualities*. Advocates of the other view take speaking of certain qualities as unobjectionable. They do not say, "How do we know that this quality (in another possible world) is that of redness?" But they do find speaking of certain *people* objectionable. But I see no more reason to object in the one case than in the other. I think it really comes from the idea of possible worlds as existing out there, but very far off, viewable only through a special telescope. Even more objectionable is the view of David Lewis. According to Lewis, when we say "Under certain circumstances Nixon would have gotten Carswell through," we

der Tat sehr schwer herauszufinden, wenn man die ganze Situation tatsächlich durch ein Fernrohr betrachten würde, doch das ist nicht das, was man hier tut. Mögliche Welten sind nicht etwas, auf das eine epistemologische Frage wie diese anwendbar ist. Und wenn der Ausdruck ›mögliche Welten‹ irgendjemanden dazu verleitet zu glauben, dass eine solche Frage anwendbar ist, dann soll er den Ausdruck einfach *weglassen* und einen anderen Ausdruck verwenden, der weniger irreführend ist, etwa ›kontrafaktische Situation‹. Wenn man sagt: »Wenn Nixon diesen und jenen Senator bestochen hätte, hätte Nixon Carswell durchgebracht«, dann ist das, was in der Beschreibung dieser Situation *gegeben* ist, dass es eine Situation ist, in der man von Nixon und Carswell und von diesem und jenem Senator redet. Und es gibt genauso wenig daran auszusetzen, *festzulegen*, dass man über bestimmte *Personen* spricht, wie daran, dass man über bestimmte *Eigenschaften* spricht. Vertreter der anderen Auffassung halten die Rede von bestimmten Eigenschaften für unbedenklich. Sie sagen nicht: »Woher weiß man, dass diese Eigenschaft (in einer anderen möglichen Welt) jene ist, rot zu sein?« Doch sie halten die Rede von bestimmten *Personen* für fragwürdig. Ich kann jedoch keinen guten Grund dafür ausmachen, einen der Fälle für fragwürdiger als den anderen zu halten. Meiner Meinung nach rührt das eigentlich von der Idee her, dass mögliche Welten da draußen existieren, aber sehr weit voneinander entfernt liegen, so dass sie nur durch ein spezielles Fernrohr zu sehen sind. Noch viel fragwürdiger ist die Auffassung von David Lewis. Wenn es nach Lewis geht, meinen wir, wenn wir sagen: »Unter bestimmten Umständen hätte Nixon Carswell durchgebracht« eigentlich: »Ein

really mean "Some man, other than Nixon but closely resembling him, would have gotten some judge, other than
Carswell but closely resembling him, through." Maybe that
is so, that some man closely resembling Nixon could have
gotten some man closely resembling Carswell through. But
that would not comfort either Nixon or Carswell, nor
would it make Nixon kick himself and say "*I* should have
done such and such to get Carswell through." The question
is whether under certain circumstances Nixon *himself*
could have gotten *Carswell* through. And I think the objection is simply based on a misguided picture.

Instead, we can perfectly well talk about rigid and non-
rigid designators. Moreover, we have a simple, intuitive test
for them. We can say, for example, that the number of planets might have been a different number from the number it
in fact is. For example, there might have been only seven
planets. We can say that the inventor of bifocals might have
been someone other than the man who *in fact* invented
bi-[149]focals.[10] We cannot say, though, that the square root

10 Some philosophers think that definite descriptions, in English,
   are ambiguous, that sometimes 'the inventor of bifocals' rigidly
   designates the man who in fact invented bifocals. I am tentatively
   inclined to reject this view, construed as a thesis about English (as
   opposed to a possible hypothetical language), but I will not argue
   the question here.
   What I do wish to note is that, contrary to some opinions, this
   alleged ambiguity cannot replace the Russellian notion of the
   scope of a description. Consider the sentence, "The number of
   planets might have been necessarily even." This sentence plainly

Mann, der zwar nicht Nixon ist, aber diesem sehr ähnelt, hätte einen Mann, der Carswell sehr ähnelt, durchgebracht.« Vielleicht ist das so, dass irgendein Mann, der Nixon ähnelt, irgendeinen Mann, der Carswell ähnelt, hätte durchbringen können. *Das* würde aber weder Nixon noch Carswell trösten noch würde es Nixon dazu bewegen, sich in den Hintern zu beißen und zu sagen: »Ich hätte das und das tun sollen, um Carswell durchzubringen.« Die Frage lautet also, ob Nixon *selbst Carswell* unter bestimmten Umständen hätte durchbringen können. Meiner Meinung nach basiert der Einwand einfach auf einer fehlgeleiteten Vorstellung.

Stattdessen kann man ganz problemlos über starre und nicht-starre Bezeichner reden. Darüber hinaus hat man einen einfachen und intuitiven Test dafür. Man kann zum Beispiel behaupten, dass die Zahl der Planeten eine andere Zahl hätte sein können als jene, die es tatsächlich ist. Es hätte beispielsweise nur sieben Planeten geben können. Man kann behaupten, dass der Erfinder der Zweistärkenbrille jemand anderer hätte sein können als jener, der *tatsächlich* die [149] Zweistärkenbrille erfunden hat.[10] Man kann jedoch

10 Einige Philosophen glauben, dass bestimmte Beschreibungen im Englischen mehrdeutig sind; dass ›der Erfinder der Zweistärkenbrille‹ manchmal starr den Mann bezeichnet, der tatsächlich die Zweistärkenbrille erfand. Ich neige vorläufig dazu, diese Auffassung – als These über die englische Sprache (und nicht über eine mögliche hypothetische Sprache) verstanden – zurückzuweisen, werde diese Frage hier aber nicht besprechen.
Ich möchte allerdings anmerken, dass diese angebliche Mehrdeutigkeit den Russell'schen Begriff des Skopus einer Beschreibung nicht ersetzen kann. Betrachten wir den Satz: »Die Zahl der Planeten hätte notwendigerweise gerade sein können.« Diesen

of 81 might have been a different number from the number it in fact is, for that number just has to be 9. If we apply this intuitive test to proper names, such as for example 'Richard Nixon', they would seem intuitively to come out to be rigid designators. First, when we talk even about the counterfac- 5 tual situation in which we suppose Nixon to have done different things, we assume we are still talking about Nixon himself. We say, "If Nixon had bribed a certain Senator, he would have gotten Carswell through," and we assume that by 'Nixon' and 'Carswell' we are still referring to the very 10 same people as in the actual world. And it seems that we cannot say "Nixon might have been a different man from the man he in fact was," unless, of course, we mean it metaphorically: He might have been a different *sort* of person (if

can be read so as to express a truth; had there been eight planets, 1 the number of planets would have been necessarily even.

Yet without scope distinctions, both a 'referential' (rigid) and a non-rigid reading of the description will make the statement false. (Since the number of planets is nine, the rigid reading amounts to the falsity that nine might have been necessarily 2 even.)

The 'rigid' reading is equivalent to the Russellian primary occurrence; the non-rigid, to innermost scope – some, following Donnellan, perhaps loosely, have called this reading the 'attributive' use. The possibility of intermediate scopes is then ignored.

In the present instance, the intended reading of $\Diamond\Box$ (the number of planets is even) makes the scope of the description $\Box$ (the number of planets is even), neither the largest nor the smallest possible.

nicht behaupten, dass die Quadratwurzel von 81 eine andere Zahl hätte sein können als jene, die sie tatsächlich ist, da
diese Zahl einfach die 9 sein muss. Wendet man diesen intuitiven Test auf Eigennamen an, wie beispielsweise
›Richard Nixon‹, so scheinen sie intuitiv als starre Bezeichner herauszukommen. Erstens nimmt man an, dass man
noch immer von Nixon selbst spricht, selbst wenn man
über die kontrafaktische Situation redet, in der man voraussetzt, dass Nixon etwas anderes getan hätte. Man sagt:
»Wenn Nixon einen bestimmten Senator bestochen hätte,
hätte er Carswell durchgebracht«, und man nimmt an, dass
man mit ›Nixon‹ und ›Carswell‹ immer noch genau dieselben Personen bezeichnet wie in der tatsächlichen Welt. Und
es scheint, dass man nicht »Nixon hätte ein anderer Mann
sein können als der, der er tatsächlich ist« sagen kann, es sei
denn, man meint es metaphorisch: Er hätte eine andere *Art*
von Person sein können (wenn man an die Freiheit des

Satz kann man schlicht so verstehen, dass er eine Wahrheit ausdrückt: Würde es acht Planeten geben, dann würde die Zahl der
Planeten notwendigerweise gerade sein. Dennoch würde ohne
Skopus-Unterscheidungen sowohl eine ›referentielle‹ (starre) als
auch eine nicht-starre Lesart der Beschreibung die Aussage falsch
machen. (Weil die Zahl der Planeten Neun ist, läuft die starre
Lesart auf die falsche Aussage hinaus, dass Neun notwendig gerade hätte sein können.)
Die ›starre‹ Lesart entspricht dem Russell'schen primären Vorkommen; die nicht-starre dem engsten Skopus – vielleicht lose
Donnellan folgend haben einige letztere Lesart den ›attributiven‹
Gebrauch genannt. Im vorliegenden Fall ist gemäß der beab-
sichtigten Lesart von ◇□ (die Zahl der Planeten ist gerade) der
Skopus der Beschreibung □ (die Zahl der Planeten ist gerade)
weder der größt- noch der kleinstmögliche Skopus.

you believe in free will and that people are not inherently corrupt). You might think the statement [is] true in that sense, but Nixon could not have been in the other literal sense a different person from the person he, in fact, is, even though the thirty-seventh President of the United States might have been Humphrey. So the phrase "the thirty-seventh President" is non-rigid, but 'Nixon', it would seem, is rigid.

Let me make another distinction before I go back to the question of identity statements. This distinction is very fundamental and also hard to see through. In recent discussion, many philosophers who have debated the meaningfulness of various categories of truths, have regarded them as identical. Some of those who identify them are vociferous defenders of them, and others, such as Quine, say they are all identically meaningless. But usually they're not distinguished. These are categories such as 'analytic', 'necessary', 'a priori', and sometimes [150] even 'certain'. I will not talk about all of these but only about the notions of a prioricity and necessity. Very often these are held to be synonyms. (Many philosophers probably should not be described as holding them to be synonyms; they simply use them interchangeably.) I wish to distinguish them. What do we mean by calling a statement *necessary*? We simply mean that the statement in question, first, is true, and, second, that it could not have been otherwise. When we say that something is *contingently* true, we mean that, though it is in fact the case, it could have been the case that things

Willens glaubt und daran, dass die Menschen nicht von Natur aus korrupt sind). In diesem Sinne könnte man die Aussage für wahr halten, doch Nixon hätte nicht im wörtlichen Sinne eine andere Person sein können als die, die er tatsächlich ist, auch wenn der 37. Präsident der Vereinigten Staaten Humphrey hätte sein können. Der Ausdruck »der 37. Präsident« ist nicht-starr, aber ›Nixon‹, so scheint es, ist starr.

Ich möchte noch eine weitere Unterscheidung einführen, bevor ich zur Frage der Identitätsaussagen zurückkehre. Diese Unterscheidung ist sehr grundlegend und auch schwer zu durchschauen. In der neueren Debatte haben viele Philosophen die Sinnhaftigkeit einiger Kategorien von Wahrheiten in Frage gestellt und sie als miteinander zusammenfallend verstanden. Einige derer, die sie als miteinander zusammenfallend erachten, sind ihre lautstarken Verteidiger, andere, wie etwa Quine, behaupten, sie seien alle gleichermaßen sinnlos. Doch sie werden üblicherweise nicht voneinander unterschieden. Es handelt sich dabei um Kategorien wie ›analytisch‹, ›notwendig‹, ›a priori‹, und manchmal [150] sogar ›gewiss‹. Ich werde nicht über all diese Begriffe sprechen, sondern nur über jene der Apriorität und der Notwendigkeit. Sehr oft werden diese als synonym verstanden. (Viele Philosophen sollten wahrscheinlich nicht so beschrieben werden, dass sie diese für synonym halten; sie gebrauchen sie einfach austauschbar.) Ich möchte sie voneinander unterscheiden. Was meint man damit, wenn man eine Aussage *notwendig* nennt? Man meint einfach, dass die fragliche Aussage erstens wahr ist, und dass dies zweitens nicht hätte anders sein können. Wenn man sagt, dass etwas *kontingent* wahr ist, meint man, dass es, obwohl es tatsächlich der Fall ist, auch der Fall hätte sein können, dass sich der

would have been otherwise. If we wish to assign this distinction to a branch of philosophy, we should assign it to metaphysics. To the contrary, there is the notion of an *a priori truth*. An a priori truth is supposed to be one which can be *known* to be true independently of all experience. Notice that this does not in and of itself say anything about all possible worlds, unless this is put into the definition. All that it says is that it can be known to be true of the actual world, independently of all experience. It may, by some philosophical argument, follow from our knowing, independently of experience, that something is true of the actual world, that it has to be known to be true also of all possible worlds. But if this is to be established, it requires some philosophical argument to establish it. Now, *this* notion, if we were to assign it to a branch of philosophy, belongs, not to metaphysics, but to epistemology. It has to do with the way we can know certain things to be in fact true. Now, it may be the case, of course, that anything which is necessary is something which *can* be known a priori. (Notice, by the way, the notion a priori truth as thus defined has in it *another* modality: it *can* be known independently of all experience. It is a little complicated because there is a double modality here.) I will not have time to explore these notions in full detail here, but one thing we can see from the outset is that these two notions are by no means trivially

Lauf der Dinge anders entwickelt. Wenn man diese Unterscheidung einem Zweig der Philosophie zuordnen wollte, dann sollte das die Metaphysik sein. Im Gegensatz dazu steht der Begriff der *Wahrheit a priori*. Als Wahrheit a priori wird eine solche verstanden, von der man unabhängig von aller Erfahrung *wissen* kann, dass sie wahr ist. Es sei angemerkt, dass dies an sich noch keine Aussage über alle möglichen Welten ist, solange das nicht in die Definition aufgenommen wird. Alles, was damit behauptet wird, ist, dass deren Wahrheit in der tatsächlichen Welt unabhängig von jedweder Erfahrung gewusst werden kann. Es könnte sein, dass aus unserem erfahrungsunabhängigen Wissen darüber, dass etwas in der tatsächlichen Welt wahr ist, vermittels eines philosophischen Arguments ableitbar ist, dass auch gewusst werden muss, dass es in allen möglichen Welten wahr ist. Um das zu zeigen, benötigt man jedoch ein philosophisches Argument. Wenn man nun *diesen* Begriff einem Zweig der Philosophie zuordnen will, dann gehört er nicht zur Metaphysik, sondern zur Epistemologie. Er hat mit der Art und Weise zu tun, wie man von bestimmten Dingen wissen kann, dass sie tatsächlich wahr sind. Nun könnte es gewiss der Fall sein, dass alles, was notwendig ist, etwas ist, das a priori gewusst werden *kann*. (Es gilt übrigens anzumerken, dass der Begriff einer Wahrheit a priori, auf diese Weise definiert, eine *weitere* Modalität beinhaltet: sie *kann* unabhängig von jedweder Erfahrung gewusst werden. Die doppelte Modalität macht die Sache hier ein wenig komplizierter.) Ich werde keine Zeit dafür haben, diese Begriffe in allen Einzelheiten zu untersuchen, doch man kann von Anfang an sehen, dass die beiden Begriffe auf keinen Fall trivialerweise zusammenfallen. Wenn sie koextensiv

the same. If they are coextensive, it takes some philosophical argument to establish it. As stated, they belong to different domains of philosophy. One of them has something to do with *knowledge*, of what can be known in certain ways about the *actual* world. The other one has to do with *metaphysics*, how the world *could* have been; given that it is the way it is, could it have been otherwise, in certain ways? Now I hold, as a matter of fact, that neither class of statements is contained in the other. But, all we need to talk about here is this: Is everything that is necessary knowable a priori or known a priori? Consider the following example: the Goldbach conjecture. This says that every even number is the sum of two primes. It is a mathematical statement and if it is true at all, it has to be necessary. Certainly, one could not say that though in fact every even number is the sum of two primes, there could have been some [151] extra number which was even and not the sum of two primes. What would that mean? On the other hand, the answer to the question whether every even number is in fact the sum of two primes is unknown, and we have no method at present for deciding. So we certainly do not know, a priori or even a posteriori, that every even number is the sum of two primes. (Well, perhaps we have some evidence in that no counterexample has been found.) But we certainly do not know a priori anyway, that every even number is, in fact, the sum of two primes. But, of course, the definition just says "*can* be known independently of experience," and

sind, braucht es ein philosophisches Argument, um das zu zeigen. Wie gesagt gehören sie verschiedenen Bereichen der Philosophie an. Einer von ihnen hat etwas mit *Wissen* zu tun, nämlich damit, was auf gewisse Art und Weise über die *tatsächliche* Welt gewusst werden kann. Der andere hat mit *Metaphysik* zu tun, wie die Welt hätte sein *können*: Hätte sie unter der Annahme, dass sie so ist, wie sie ist, in einer bestimmten Art und Weise anders sein können? Genau genommen bin ich der Auffassung, dass keine der beiden Mengen von Aussagen Teil der anderen ist. Doch hier müssen wir nur darüber sprechen, ob alles, was notwendig ist, auch a priori gewusst werden kann oder a priori gewusst wird. Betrachten wir folgendes Beispiel: die Goldbach'sche Vermutung. Sie besagt, dass jede gerade Zahl die Summe zweier Primzahlen ist. Das ist eine mathematische Aussage, und wenn sie überhaupt wahr ist, dann muss sie notwendig sein. Man kann sicherlich nicht behaupten, dass zwar tatsächlich jede gerade Zahl die Summe zweier Primzahlen ist, es aber irgendwelche [151] zusätzlichen Zahlen hätte geben können, die zwar gerade, aber nicht die Summe zweier Primzahlen sind. Was würde das bedeuten? Andererseits ist die Antwort auf die Frage, ob jede gerade Zahl tatsächlich die Summe zweier Primzahlen ist, ungewiss, und wir haben gegenwärtig keine Möglichkeit, dies zu entscheiden. Sicher wissen wir also nicht, dass jede gerade Zahl die Summe zweier Primzahlen ist, sei es a priori oder gar a posteriori. (Naja, vielleicht spricht dafür, dass man kein Gegenbeispiel gefunden hat.) Jedenfalls weiß man bestimmt nicht a priori, dass jede gerade Zahl die Summe zweier Primzahlen ist. Aber natürlich sagt die Definition lediglich, dass etwas »unabhängig von der Erfahrung ge-

someone might say that if it is true, we *could* know it independently of experience. It is hard to see exactly what this claim means. It might be so. One thing it might mean is that if it were true we could *prove* it. This claim is certainly wrong if it is generally applied to mathematical statements and we have to work within some fixed system. This is what Gödel proved. And even if we mean an 'intuitive proof in general' it might just be the case (at least, this view is as clear and as probable as the contrary) that though the statement is true, there is just no way the human mind could ever prove it. Of course, one way an *infinite* mind might be able to prove it is by looking through each natural number one by one and checking. In this sense, of course, it can, perhaps, be known a priori, but only by an infinite mind, and then this gets into other complicated questions. I do not want to discuss questions about the conceivability of performing an infinite number of acts like looking through each number one by one. A vast philosophical literature has been written on this: Some have declared it is logically impossible; others that it is logically possible; and some do not know. The main point is that it is not trivial that just because such a statement is necessary it can be known a priori. Some considerable clarification is required before we decide that it can be so known. And so this shows that even if everything necessary is a priori in some sense, it should not be taken as a trivial matter of

wusst werden *kann*«, und jemand könnte behaupten, dass man das unabhängig von der Erfahrung wissen *könnte*, wenn es wahr ist. Es ist schwer nachzuvollziehen, was diese Behauptung genau bedeutet. Es könnte so sein. Das könnte
5 bedeuten, dass man das *beweisen* könnte, wenn es wahr ist. Diese Behauptung ist sicherlich falsch, wenn man sie allgemein auf mathematische Aussagen anwendet und man mit einem festgelegten System arbeiten muss. Das ist das, was Gödel bewiesen hat. Und sogar dann, wenn man einen ›in-
10 tuitiven Beweis im Allgemeinen‹ meint, könnte es einfach der Fall sein (zumindest ist diese Auffassung gleichermaßen klar und wahrscheinlich wie ihr Gegenteil), dass es keine Möglichkeit für den menschlichen Geist gibt, dies jemals zu beweisen, obwohl die Aussage wahr ist. Natürlich könn-
15 te für einen *unendlichen* Geist die Möglichkeit bestehen, jede natürliche Zahl einzeln durchzugehen und zu prüfen, um dies zu beweisen. Sicherlich kann es in diesem Sinne vielleicht a priori gewusst werden, doch nur von einem unendlichen Geist, und dann würden sich andere schwierige
20 Fragen stellen. Ich möchte mich nicht mit Fragen zur Vorstellbarkeit einer unendlichen Zahl von Handlungen wie jener, jede Zahl einzeln durchzusehen, befassen. Die philosophische Literatur dazu ist gewaltig: Einige haben das für logisch unmöglich erklärt; andere für logisch möglich; und
25 manche wissen es nicht. Der zentrale Punkt lautet, dass es nicht trivial ist, dass so eine Aussage a priori gewusst werden kann, nur weil sie notwendig ist. Es gibt beträchtlichen Klärungsbedarf, bevor man entscheidet, ob sie auf diese Weise gewusst werden kann. Und das zeigt also, dass man das selbst dann, wenn alles Notwendige in einem Sinne a priori ist, nicht für eine triviale Sache der Definition halten

definition. It is a substantive philosophical thesis which requires some work.

Another example that one might give relates to the problem of essentialism. Here is a lectern. A question which has often been raised in philosophy is: What are its essential properties? What properties, aside from trivial ones like self-identity, are such that this object has to have them if it exists at all,[11] are such that if an object did not have it, [152] it would not be this object?[12] For example, being made of

11 This definition is the usual formulation of the notion of essential property, but an exception must be made for existence itself: on the definition given, existence would be trivially essential. We should regard existence as essential to an object only if the object necessarily exists. Perhaps there are other recherché properties, involving existence, for which the definition is similarly objectionable. (I thank Michael Slote for this observation.)

12 The two clauses of the sentence footnoted give equivalent definitions of the notion of essential property, since $\Box((\exists x)(x = a) \supset Fa)$ is equivalent to $\Box(x)(\sim Fx \supset x \neq a)$. The second formulation, however, has served as a powerful seducer in favor of theories of 'identification across possible worlds'. For it suggests that we consider 'an object b in another possible world' and test whether it is identifiable with a by asking whether it lacks any of the essential properties of a. Let me therefore emphasize that, although an essential property is (trivially) a property without which an object cannot be a, it by no means follows that the essential, purely qualitative properties of a jointly form a sufficient condition for being a, nor that *any* purely qualitative conditions are sufficient for an object to be a. Further, even if necessary and sufficient

sollte. Das ist eine substantielle philosophische These, die einigen Aufwand erfordert.

Ein anderes Beispiel, das man vorbringen könnte, hängt mit dem Problem des Essentialismus zusammen. Hier ist ein Rednerpult. Eine Frage, die in der Philosophie immer wieder gestellt wird, lautet: Was sind seine wesentlichen Eigenschaften? Welche Eigenschaften, abgesehen von trivialen wie Selbst-Identität, sind von der Art, dass dieser Gegenstand sie haben muss, wann immer er überhaupt existiert,[11] sind also von der Art, dass ein Gegenstand, der sie nicht hätte, [152] nicht dieser Gegenstand sein würde?[12]

---

11 So lautet die übliche Definition des Begriffs einer wesentlichen Eigenschaft, doch für Existenz selbst muss eine Ausnahme gemacht werden: Gemäß der angeführten Definition wäre Existenz trivialerweise wesentlich. Wir sollten Existenz nur dann als wesentlich für einen Gegenstand ansehen, wenn der Gegenstand notwendigerweise existiert. Womöglich gibt es andere ausgewählte Eigenschaften, die mit Existenz verknüpft sind, für die die Definition ähnlich problematisch ist. (Ich danke Michael Slote für diese Beobachtung.)

12 Die zwei Teile des Satzes, auf den sich diese Fußnote bezieht, liefern äquivalente Definitionen des Begriffs einer wesentlichen Eigenschaft, da $\Box((\exists x)(x = a) \supset Fa)$ äquivalent zu $\Box(x)(-Fx \supset x \neq a)$ ist. Die zweite Formulierung verleitet allerdings stark zu Theorien einer ›Identifikation über mögliche Welten hinweg‹. Sie legt nahe, dass man ›einen Gegenstand b in einer anderen möglichen Welt‹ betrachtet und testet, ob er mit a zu identifizieren ist, indem man sich fragt, ob ihm irgendeine der wesentlichen Eigenschaften von a fehlt. Ich möchte daher betonen, dass daraus, dass eine wesentliche Eigenschaft (trivialerweise) eine ist, ohne die ein Gegenstand nicht a sein kann, keineswegs folgt, dass die wesentlichen, rein qualitativen Eigenschaften von a gemeinsam eine hinreichende Bedingung dafür bilden, dass etwas a ist, oder

wood, and not of ice, might be an essential property of this lectern. Let us just take the weaker statement that it is not made of ice. That will establish it as strongly as we need it, perhaps as dramatically. Supposing this lectern is in fact made of wood, could this very lectern have been made from the very beginning of its existence from ice, say frozen from water in the Thames? One has a considerable feeling that it could *not*, though in fact one certainly could have made a lectern of water from the Thames, frozen it into ice by some process, and put it right there in place of this thing. If one had done so, one would have made, of course, a *different* object. It would not have been *this very lectern*, and so one would not have a case in which this very lectern here was made of ice, or was made from water from the Thames. The question of whether it could afterward, say in a minute from now, turn into ice is something else. So, it would seem, if an example like this is correct – and this is what advocates of essentialism have held – that this lectern could not have been made of ice, that is in any counterfactual situation of which we would say that this lectern existed at all,

qualitative conditions for an object to be Nixon may exist, there would still be little justification for the demand for a purely qualitative description of all counterfactual situations. We can ask whether Nixon might have been a Democrat without engaging in these subtleties.

Zum Beispiel könnte es eine wesentliche Eigenschaft dieses Rednerpults sein, aus Holz und nicht aus Eis gemacht zu sein. Nehmen wir lediglich die schwächere Aussage, dass es nicht aus Eis gemacht ist. Das zeigt, was wir brauchen, vielleicht sogar genauso deutlich. Angenommen, dieses Rednerpult ist tatsächlich aus Holz: Hätte genau dieses Pult seit Beginn seiner Existenz aus Eis sein können, etwa aus dem gefrorenen Wasser der Themse? Man hat das deutliche Gefühl, dass das *nicht* so sein könnte, obwohl man natürlich ein Rednerpult aus dem mit Hilfe irgendeines Prozesses gefrorenen Wasser der Themse machen und anstelle dieses Dinges genau hier hätte hinstellen können. Wenn man das getan hätte, dann hätte man selbstverständlich einen *anderen* Gegenstand hergestellt. Es wäre nicht *genau dieses Rednerpult* gewesen, und so hätte man keinen Fall, in dem genau dieses Pult hier aus Eis oder aus dem Wasser der Themse gemacht wurde. Die Frage, ob es sich nachher, beispielsweise in einer Minute, in Eis verwandeln könnte, ist eine andere. Wenn ein solches Beispiel korrekt ist – und das ist das, was Vertreter des Essentialismus behauptet haben – dass dieses Pult nicht hätte aus Eis gemacht sein können, dann müsste man für jede kontrafaktische Situation, von der man sagen würde, dass dieses Pult über-

dass *irgendwelche* rein qualitativen Bedingungen hinreichend dafür sind, dass ein Gegenstand *a* ist. Selbst wenn es darüber hinaus notwendige und hinreichende qualitative Bedingungen dafür geben sollte, dass ein Gegenstand Nixon ist, wäre die Forderung einer rein qualitativen Beschreibung aller kontrafaktischen Situationen immer noch kaum gerechtfertigt. Man kann fragen, ob Nixon ein Demokrat hätte sein können, ohne sich mit diesen Feinheiten auseinanderzusetzen.

we would have to say also that it was not made from water from the Thames frozen into ice. Some have rejected, of course, any such notion of essential property as meaningless. Usually, it is because (and I think this is what Quine, for example, would say) they have held that it depends on the notion of identity across possible worlds, and that this is itself meaningless. Since I have rejected this view already, I will not deal with it again. We can talk about *this very object*, and whether it could have had certain properties which it does not in fact have. For example, it could have been in another room from the room it in fact is in, even at this very time, but it could not have been made from the very beginning from water frozen into ice.

If the essentialist view is correct, it can only be correct if we sharply distinguish between the notions of a posteriori and a priori truth on the one hand, and contingent and necessary truth on the [153] other hand, for although the statement that this table, if it exists at all, was not made of ice, is necessary, it certainly is not something that we know a priori. What we know is that first, lecterns usually are not made of ice, they are usually made of wood. This looks like wood. It does not feel cold and it probably would if it were made of ice. Therefore, I conclude, probably this is not made of ice. Here my entire judgment is a posteriori. I could find out that an ingenious trick has been played upon me

haupt existiert, auch sagen, dass es nicht aus dem zu Eis gefrorenen Wasser der Themse gemacht wurde. Einige haben selbstverständlich jedweden Begriff einer wesentlichen Eigenschaft als sinnlos zurückgewiesen. Üblicherweise liegt
5 das daran (und das ist meiner Meinung nach das, was beispielsweise Quine sagen würde), dass sie ihn für vom Begriff der Identität über mögliche Welten hinweg abhängig halten und diesen ebenfalls als sinnlos erachten. Da ich diese Auffassung bereits zurückgewiesen habe, werde ich
10 mich nicht noch einmal mit ihr befassen. Man kann über *genau diesen Gegenstand* sprechen und darüber, ob er gewisse Eigenschaften hätte haben können, die er nicht tatsächlich hat. Er hätte sogar beispielsweise zu genau dieser Zeit in einem anderen Raum sein können als dem, in dem
15 er sich tatsächlich befindet, aber er hätte nicht von Anfang an aus zu Eis gefrorenem Wasser gemacht sein können.

Wenn die Auffassung der Essentialisten richtig ist, kann sie das nur dann sein, wenn wir trennscharf zwischen den Begriffen von Wahrheiten a posteriori und a priori auf der
20 einen Seite und zwischen kontingenten und notwendigen Wahrheiten auf der [153] anderen Seite unterscheiden, da die Aussage, dass dieser Tisch, wenn er überhaupt existiert, nicht aus Eis gemacht wurde, zwar notwendig ist, jedoch bestimmt nichts, das wir a priori wissen. Was wir wissen,
25 ist, dass erstens Rednerpulte üblicherweise nicht aus Eis gemacht werden, sondern aus Holz. Das hier sieht wie Holz aus. Es fühlt sich nicht kalt an, und es würde sich so anfühlen, wenn es aus Eis gemacht worden wäre. Daraus schließe ich, dass das hier wahrscheinlich nicht aus Eis gemacht ist. Mein Urteil ist hier vollständig a posteriori. Ich könnte herausfinden, dass mir ein raffinierter Streich gespielt und dass

and that, in fact, this lectern is made of ice; but what I am saying is, given that it is in fact not made of ice, in fact is made of wood, one cannot imagine that under certain circumstances it could have been made of ice. So we have to say that though we cannot know a priori whether this table was made of ice or not, given that it is not made of ice, it is *necessarily* not made of ice. In other words, if P is the statement that the lectern is not made of ice, one knows by a priori philosophical analysis, some conditional of the form "if P, then necessarily P." If the table is not made of ice, it is necessarily not made of ice. On the other hand, then, we know by empirical investigation that P, the antecedent of the conditional, is true – that this table is not made of ice. We can conclude by *modus ponens*:

$$P \supset \Box P$$
$$P$$

$$\overline{}$$

$$\Box P$$

The conclusion – '$\Box P$' – is that it is necessary that the table not be made of ice, and this conclusion is known a posteriori, since one of the premises on which it is based is a posteriori. So, the notion of essential properties can be maintained only by distinguishing between the notions of a priori and necessary truth, and I do maintain it.

dieses Pult tatsächlich aus Eis gemacht wurde; ich behaupte jedoch, dass man sich, wenn wir davon ausgehen, dass es tatsächlich nicht aus Eis gemacht wurde, sondern aus Holz, nicht vorstellen kann, dass es unter bestimmten Umstän-
5 den aus Eis hätte gemacht sein können. Also muss man be-haupten, dass man zwar nicht a priori wissen kann, ob die-ser Tisch aus Eis gemacht wurde oder nicht, doch ist er un-ter der Voraussetzung, dass er nicht aus Eis gemacht wurde, *notwendigerweise* nicht aus Eis gemacht. In anderen Wor-
10 ten: Wenn P die Aussage ist, dass das Rednerpult nicht aus Eis gemacht wurde, dann weiß man durch philosophische Analyse a priori, dass ein Konditional der Form »Wenn P, dann notwendigerweise P« wahr ist. Wenn der Tisch nicht aus Eis gemacht wurde, dann ist er notwendigerweise nicht
15 aus Eis gemacht. Auf der anderen Seite weiß man dann durch empirische Untersuchungen, dass P, das Antezedens des Konditionals, wahr ist – dass dieser Tisch nicht aus Eis gemacht wurde. Wir können mittels *Modus ponens* folgern:

$$P \supset \Box P$$
$$P$$
$$\overline{\qquad\qquad}$$
$$\Box P$$

Die Konklusion – ›$\Box P$‹ – lautet, dass es notwendig ist, dass der Tisch nicht aus Eis gemacht wurde, und diese Konklusi-on wird a posteriori gewusst, da eine der Prämissen, auf der sie basiert, a posteriori ist. Daher ist der Begriff wesentlicher Eigenschaften nur dann zu bewahren, wenn man zwischen den Begriffen einer Wahrheit a priori und einer notwendi-gen Wahrheit unterscheidet, und ich möchte ihn bewahren.

Let us return to the question of identities. Concerning the statement 'Hesperus is Phosphorus' or the statement 'Cicero is Tully', one can find all of these out by empirical investigation, and we might turn out to be wrong in our empirical beliefs. So, it is usually argued, such statements must therefore be contingent. Some have embraced the other side of the coin and have held "Because of this argument about necessity, identity statements between names have to be knowable a priori, so, only a very special category of names, possibly, really works as names; the other things are bogus names, disguised descriptions, or something of the sort. However, a certain very narrow class of statements of identity are known a priori, and these are the ones which contain the genuine names." If one accepts the distinctions that I have made, one need not jump to either conclusion. One can hold that certain statements of identity between names, though often known a posteriori, and maybe not knowable a priori, are in fact necessary, [154] if true. So, we have some room to hold this. But, of course, to have some room to hold it does not mean that we should hold it. So let us see what the evidence is. First, recall the remark that I made that proper names seem to be rigid designators, as when we use the name 'Nixon' to talk about a certain man, even in counterfactual situations. If we say, "If Nixon had not written the letter to Saxbe, maybe he would

Kehren wir nun zur Frage der Identität zurück. Aussagen wie ›Hesperus ist Phosphorus‹ oder ›Cicero ist Tullius‹ lassen sich allesamt durch empirische Untersuchungen prüfen, und es könnte sich herausstellen, dass wir in Bezug auf unsere empirischen Überzeugungen falsch liegen. Daher, so wird üblicherweise argumentiert, müssen diese Aussagen also kontingent sein. Einige haben sich auf die andere Seite geschlagen und behauptet: »Aufgrund dieses Arguments über Notwendigkeit müssen Identitätsaussagen zwischen Namen a priori gewusst werden können, daher funktioniert nur eine sehr spezielle Kategorie von Namen, wenn überhaupt, wirklich als Namen; alle anderen sind Scheinnamen, versteckte Beschreibungen oder etwas in dieser Art. Eine sehr eng gefasste Klasse von Identitätsaussagen wird a priori gewusst, und das ist jene, die die genuinen Namen enthält.« Wenn man die Unterscheidungen, die ich getroffen habe, akzeptiert, muss man zu keiner der beiden Konklusionen gelangen. Man kann den Standpunkt vertreten, dass bestimmte Identitätsaussagen zwischen Eigennamen, obwohl sie oft a posteriori gewusst werden und vielleicht gar nicht a priori gewusst werden können, in der Tat notwendig sind, [154] wenn sie wahr sind. Man hat also ein wenig Spielraum, um das zu vertreten. Doch dafür ein wenig Spielraum zu haben, bedeutet selbstverständlich noch nicht, dass man das vertreten sollte. Sehen wir uns an, was für diesen Standpunkt spricht. Ich möchte zunächst an meine Bemerkung anknüpfen, dass Eigennamen starre Bezeichner zu sein scheinen, wenn man etwa den Namen ›Nixon‹ benutzt, um auch in kontrafaktischen Situationen über einen bestimmten Mann zu sprechen. Wenn man sagt: »Wenn Nixon den Brief an Saxbe nicht geschrieben

have gotten Carswell through," we are in this statement talking about Nixon, Saxbe, and Carswell, the very same men as in the actual world, and what would have happened to them under certain counterfactual circumstances. If names are rigid designators, then there can be no question about identities being necessary, because 'a' and 'b' will be rigid designators of a certain man or thing x. Then even in every possible world, [']a['] and [']b['] will both refer to this same object x, and to no other, and so there will be no situation in which a might not have been b. That would have to be a situation in which the object which we are also now calling 'x' would not have been identical with itself. Then one could not possibly have a situation in which Cicero would not have been Tully or Hesperus would not have been Phosphorus.[13]

Aside from the identification of necessity with a priority, what has made people feel the other way? There are two things which have made people feel the other way.[14] Some

---

13 I thus agree with Quine, that "Hesperus is Phosphorus" is (or can be) an empirical discovery; with Marcus, that it is necessary. Both Quine and Marcus, according to the present standpoint, err in identifying the epistemological and the metaphysical issues.

14 The two confusions alleged, especially the second, are both related to the confusion of the metaphysical question of the necessity of "Hesperus is Phosphorus" with the epistemological question of its a prioricity. For if Hesperus is identified by its position in the sky in the evening, and Phosphorus by its position in the morning, an investigator may well know, in advance of empirical

hätte, dann hätte er Carswell vielleicht durchgebracht«, spricht man in dieser Aussage über Nixon, Saxbe und Carswell, also genau dieselben Personen wie in der tatsächlichen Welt, und was mit ihnen unter gewissen kontrafaktischen Umständen passiert wäre. Wenn Namen starre Bezeichner sind, dann steht es außer Frage, dass Identitäten notwendig sind, weil ›a‹ und ›b‹ starre Bezeichner einer bestimmten Person oder eines Gegenstands x sind. Es ist dann sogar so, dass sowohl ›a‹ als auch ›b‹ in jeder möglichen Welt genau diesen Gegenstand x bezeichnen und nichts anderes. Dementsprechend gibt es dann keine Situation, in der a hätte nicht b sein können. Das müsste eine Situation sein, in der der Gegenstand, den ich nun auch ›x‹ nenne, nicht mit sich selbst identisch wäre. In diesem Fall könnte unmöglich eine Situation vorliegen, in der Cicero nicht Tullius oder Hesperus nicht Phosphorus gewesen wäre.[13]

Was hat die Menschen – neben der Identifikation von Notwendigkeit mit Apriorität – dazu gebracht, den umgekehrten Eindruck zu haben? Es gibt zwei Dinge, die ihnen den entgegengesetzten Eindruck vermittelt haben.[14] Einige

13 Ich stimme Quine daher zu, dass »Hesperus ist Phosphorus« eine empirische Entdeckung ist (oder sein kann); und Marcus, dass dies notwendig ist. Gemäß der hier vorgelegten Auffassung irren sich sowohl Quine als auch Marcus darin, die epistemologischen mit den metaphysischen Fragestellungen gleichzusetzen.

14 Die zwei angeblichen Verwechslungen, insbesondere die zweite, haben mit der Verwechslung der metaphysischen Frage nach der Notwendigkeit und der epistemologischen Frage nach der Apriorität von »Hesperus ist Phosphorus« zu tun. Wenn Hesperus mittels seiner Position am Abendhimmel und Phosporus mittels seiner Position am Morgenhimmel identifiziert wird, könnte ein

people tend to regard identity statements as metalinguistic statements, to identify the statement "Hesperus is Phosphorus" with the metalinguistic statement, "'Hesperus' and 'Phosphorus' are names of the same heavenly body." And that, of course, might have been false. We might have used the terms 'Hesperus' and 'Phosphorus' as names of *two* different heavenly bodies. But, of course, this has nothing to do with the necessity of identity. In the same sense "2 + 2 = 4" might have been false. The phrases [155] "2 + 2" and "4" might have been used to refer to two different numbers. One can imagine a language, for example, in which "+", "2", and "=" were used in the standard way, but "4" was used as the name of, say, the square root of minus 1, as we should call it, "i." Then "2 + 2 = 4" would be false, for 2 plus 2 is not equal to the square root of minus 1. But this is

research, that Hesperus is Phosphorus if and only if one and the same body occupies position x in the evening and position y in the morning. The a priori material equivalence of the two statements, however, does not imply their strict (necessary) equivalence. (The same remarks apply to the case of heat and molecular motion below.) Similar remarks apply to some extent to the relationship between "Hesperus is Phosphorus" and "'Hesperus' and 'Phosphorus' name the same thing." A confusion that also operates is, of course, the confusion between what *we* say of a counterfactual situation and how people *in* that situation would have described it; this confusion, too, is probably related to the confusion between a priority and necessity.

Menschen neigen dazu, Identitätsaussagen als metalinguistische Aussagen aufzufassen, also etwa die Aussage »Hesperus ist Phosphorus« mit der metalinguistischen Aussage »›Hesperus‹ und ›Phosphorus‹ sind Namen desselben Himmelskörpers« gleichzusetzen. Und das hätte selbstverständlich falsch sein können. Wir hätten die Ausdrücke ›Hesperus‹ und ›Phosphorus‹ als Namen für *zwei* verschiedene Himmelskörper gebrauchen können. Doch das hat natürlich nichts mit der Notwendigkeit von Identität zu tun. Im selben Sinne hätte »2 + 2 = 4« falsch sein können. Die Ausdrücke [155] »2 + 2« und »4« hätten dafür gebraucht werden können, zwei verschiedene Zahlen zu bezeichnen. Man kann sich zum Beispiel eine Sprache vorstellen, in der »+«, »2« und »=« auf die gewohnte Weise verwendet werden, aber »4« etwa als Name der Quadratwurzel von minus 1, oder »i«, wie man sie nennt, gebraucht wird. In diesem Fall wäre »2 + 2 = 4« falsch, weil 2 plus 2 nicht dasselbe wie die Quadratwurzel von minus 1 ist. Das ist jedoch nicht

Forscher sehr wohl vor jeder empirischen Untersuchung wissen, dass Hesperus Phosphorus ist; und zwar genau dann, wenn ein und derselbe Himmelskörper am Abend Position x und am Morgen Position y einnimmt. Aus der materialen Äquivalenz der beiden Aussagen a priori folgt allerdings nicht ihre strikte (notwendige) Äquivalenz. (Dasselbe gilt für den Fall von Wärme und Molekularbewegung weiter unten.) In gewissem Umfang gilt ähnliches für das Verhältnis von »Hesperus ist Phosphorus« und »›Hesperus‹ und ›Phosphorus‹ benennen denselben Gegenstand«. Eine weitere Verwechslung, die hierzu beiträgt, ist natürlich jene zwischen dem, was *wir* über eine kontrafaktische Situation sagen, und dem, wie Personen *in* dieser Situation diese beschreiben würden; auch diese Verwechslung hat vermutlich mit der Verwechslung von Apriorität und Notwendigkeit zu tun.

not what we want. We do not want just to say that a certain statement which we in fact use to express something true could have expressed something false. We want to use the statement in *our* way and see if it could have been false. Let us do this. What is the idea people have? They say, "Look, Hesperus might not have been Phosphorus. Here a certain planet was seen in the morning, and it was seen in the evening; and it just turned out later on as a matter of empirical fact that they were one and the same planet. If things had turned out otherwise, they would have been two different planets, or two different heavenly bodies, so how can you say that such a statement is necessary?"

Now there are two things that such people can mean. First, they can mean that we do not know a priori whether Hesperus is Phosphorus. This I have already conceded. Second, they may mean that they can actually imagine circumstances that they would call circumstances in which Hesperus would not have been Phosphorus. Let us think what would be such a circumstance, using these terms here as *names* of a planet. For example, it could have been the case that Venus did indeed rise in the morning in exactly the position in which we saw it, but that on the other hand, in the position which is in fact occupied by Venus in the evening, Venus was not there, and Mars took its place. This is all counterfactual because in fact Venus is there. Now one can also imagine that in this counterfactual other possible

das, was wir wollen. Wir wollen nicht einfach nur sagen, dass eine bestimmte Aussage, die man tatsächlich dafür benutzt, etwas Wahres auszudrücken, etwas Falsches hätte ausdrücken können. Wir wollen die Aussage auf *unsere* Weise gebrauchen und sehen, ob sie falsch hätte sein können. Also machen wir das. Wie sieht die Vorstellung aus, die die Menschen haben? Sie sagen: »Sieh mal, Hesperus hätte nicht Phosphorus sein können. Hier wurde ein bestimmter Planet am Morgen beobachtet und er wurde am Abend beobachtet; und es ist eine empirische Tatsache, dass sich später einfach herausgestellt hat, dass es sich dabei um denselben Planeten handelt. Wenn sich die Dinge anders ergeben hätten, dann wären es zwei verschiedene Planeten gewesen, oder zwei verschiedene Himmelskörper; wie kannst du also behaupten, eine solche Aussage sei notwendig?«

Solche Menschen könnten nun zwei Dinge meinen. Erstens könnten sie meinen, dass man nicht a priori weiß, ob Hesperus Phosphorus ist. Dem habe ich bereits zugestimmt. Zweitens könnten sie meinen, dass sie sich tatsächlich Umstände vorstellen können, die sie Umstände nennen würden, in denen Hesperus nicht Phosphorus gewesen wäre. Überlegen wir uns, welche Umstände das sein könnten, wenn man die Ausdrücke als *Namen* eines Planeten gebraucht. Es hätte beispielsweise der Fall sein können, dass die Venus zwar einerseits morgens an exakt der Stelle aufgeht, an der man sie tatsächlich beobachtet, dass aber andererseits die Stelle, die die Venus am Abend einnimmt, nicht von der Venus, sondern vom Mars eingenommen wird. Dies alles ist kontrafaktisch, denn tatsächlich befindet sich die Venus ja dort. Nun kann man sich auch vorstellen, dass in dieser kontrafaktischen anderen möglichen Welt die

world, the earth would have been inhabited by people and that they should have used the names 'Phosphorus' for Venus in the morning and 'Hesperus' for Mars in the evening. Now, this is all very good, but would it be a situation in which Hesperus was not Phosphorus? Of course, it is a situation in which people would have been able to *say*, truly, "Hesperus is not Phosphorus"; but we are supposed to describe things in our language, not in theirs. So let us describe it in our language. Well, how could it actually happen that Venus would not be in that position in the evening? For example, let us say that there is some comet that comes around every evening and yanks things over a little bit. (That would be a very simple scientific way of imagining it: not really too simple – that is very hard to imagine actually.) It just happens to come around every evening, and things get yanked over a bit. Mars gets yanked over to the very position where Venus is, then the comet yanks things back to their normal position in the morning. Thinking [156] of this planet which we now call 'Phosphorus', what should we say? Well, we can say that the comet passes it and yanks Phosphorus over so that it is not in the position normally occupied by Phosphorus in the evening. If we do say this, and really use 'Phosphorus' as the name of a planet, then we have to say that, under such circumstances, Phosphorus in the evening would not be in the position where we, in fact, saw it; or alternatively, Hesperus in the evening would not be in the position in which we, in fact, saw it. We might say

Erde von Menschen bewohnt wäre und diese morgens für die Venus den Namen ›Phosphorus‹ und abends für den Mars ›Hesperus‹ benutzten. Nun ist das alles schön und gut, doch handelt es sich hier nun um eine Situation, in der Hesperus nicht Phosphorus wäre? Natürlich handelt es sich um eine Situation, in der die Menschen die Aussage »Hesperus ist nicht Phosphorus« aufrichtig hätten *treffen* können; doch man sollte die Dinge in unserer und nicht in deren Sprache beschreiben. Beschreiben wir sie also in unserer Sprache. Was müsste passieren, damit die Venus sich abends tatsächlich nicht an dieser Stelle befinden würde? Man könnte beispielsweise annehmen, dass jeden Abend ein Komet vorbeikommt und die Dinge ein wenig verschiebt. (Das wäre eine sehr einfache wissenschaftliche Weise, sich das vorzustellen; nicht wirklich ganz so einfach – tatsächlich ist es recht schwierig, sich das vorzustellen.) Er kommt zufällig jeden Abend vorbei und verschiebt die Dinge ein wenig. Der Mars wird genau an die Stelle geschoben, an der die Venus ist, danach schiebt der Komet die Dinge wieder zurück an ihre morgens übliche Stelle. Was sollte man nun sagen, wenn man jenen Planeten im Sinn [156] hat, den wir ›Phosphorus‹ nennen? Nun ja, man kann sagen, dass der Komet sich an ihm vorbeibewegt und Phosphorus dabei so verschiebt, dass er nicht an der Stelle ist, die er normalerweise abends einnimmt. Wenn man das sagt und ›Phosphorus‹ tatsächlich als den Namen eines Planeten verwendet, dann muss man sagen, dass unter diesen Umständen Phosphorus sich am Abend nicht an der Stelle befinden würde, an der er tatsächlich beobachtet wurde; oder stattdessen, dass Hesperus sich am Abend nicht an der Stelle befinden würde, an der er tatsächlich beobachtet

that under such circumstances, we would not have called Hesperus 'Hesperus' because Hesperus would have been in a different position. But that still would not make Phosphorus different from Hesperus; but what would then be the case instead is that Hesperus would have been in a different position from the position it in fact is and, perhaps, not in such a position that people would have called it 'Hesperus'. But that would not be a situation in which Phosphorus would not have been Hesperus.

Let us take another example which may be clearer. Suppose someone uses 'Tully' to refer to the Roman orator who denounced Cataline and uses the name 'Cicero' to refer to the man whose works he had to study in third-year Latin in high school. Of course, he may not know in advance that the very same man who denounced Cataline wrote these works, and that is a contingent statement. But the fact that this statement is contingent should not make us think that the statement that Cicero is Tully, if it is true, and it is in fact true, is contingent. Suppose, for example, that Cicero actually did denounce Cataline, but thought that this political achievement was so great that he should not bother writing any literary works. Would we say that these would be circumstances under which he would not have been Cicero? It seems to me that the answer is no, that instead we would say that, under such circumstances, Cicero would not have written any literary works. It is not a nec-

wurde. Man könnte sagen, dass man Hesperus unter diesen Umständen nicht ›Hesperus‹ genannt hätte, weil Hesperus sich an einer anderen Stelle befunden hätte. Doch dies würde Phosphorus immer noch nicht zu etwas anderem als Hesperus machen; stattdessen wäre es dann der Fall, dass Hesperus sich an einer anderen Stelle befunden hätte als an jener, an der er sich tatsächlich befindet, und vielleicht nicht an einer Stelle, die die Menschen dazu veranlasst hätte, ihn ›Hesperus‹ zu nennen. Doch es würde sich dabei nicht um eine Situation handeln, in der Phosphorus nicht Hesperus gewesen wäre.

Nehmen wir ein anderes Beispiel, das möglicherweise klarer ist. Angenommen, jemand benutzt ›Tullius‹, um den römischen Redner, der Catilina anklagte, zu bezeichnen, und den Namen ›Cicero‹, um den Mann zu bezeichnen, dessen Werke er im dritten Jahr des Lateinunterrichts am Gymnasium studieren musste. Natürlich könnte es sein, dass er im Vorhinein nicht weiß, dass genau jener Mann, der Catilina anklagte, diese Werke verfasst hatte; das ist eine kontingente Aussage. Doch sollte einen die Tatsache, dass diese Aussage kontingent ist, nicht dazu verleiten, zu glauben, dass die Aussage, dass Cicero Tullius ist, kontingent ist, wenn sie wahr ist – und sie ist tatsächlich wahr. Nehmen wir zum Beispiel an, dass Cicero tatsächlich Catilina anklagte, dass er jedoch dachte, dass diese politische Leistung so großartig sei, dass er sich nicht die Mühe machen sollte, irgendwelche literarischen Werke zu verfassen. Würden wir sagen, dass er unter diesen Umständen nicht Cicero gewesen wäre? Mir scheint, dass die Antwort ›nein‹ lautet; wir würden stattdessen sagen, Cicero habe unter diesen Umständen keine literarischen Werke verfasst. Es

essary property of Cicero – the way the shadow follows the man – that he should have written certain works; we can easily imagine a situation in which Shakespeare would not have written the works of Shakespeare, or one in which Cicero would not have written the works of Cicero. What may be the case is that we *fix the reference* of the term 'Cicero' by use of some descriptive phrase, such as 'the author of these works'. But once we have this reference fixed, we then use the name 'Cicero' *rigidly* to designate the man who in fact we have identified by his authorship of these works. We do not use it to designate whoever would have written these works in place of Cicero, if someone else wrote them. It might have been the case that the man who wrote these works was not the man who denounced Cataline. Cassius might have written these works. But we would not then say that Cicero would have been Cassius, unless we were speaking in a very loose and meta-[157]phorical way. We would say that Cicero, whom we may have identified and come to know by his works, would not have written them, and that someone else, say Cassius, would have written them in his place.

Such examples are not grounds for thinking that identity statements are contingent. To take them as such grounds is to misconstrue the relation between a *name* and a *description used to fix its reference*, to take them to be *synonyms*. Even if we fix the reference of such a name as 'Cicero' as the man who wrote such and such works, in speaking of coun-

ist keine notwendige Eigenschaft von Cicero – kein Schatten, der dem Menschen folgt – dass er bestimmte Werke geschrieben hat; es ist einfach, sich eine Situation vorzustellen, in der Shakespeare die Werke von Shakespeare nicht verfasst hätte, oder eine, in der Cicero die Werke von Cicero nicht geschrieben hätte. Es könnte der Fall sein, dass man zur *Festlegung der Referenz* des Ausdrucks ›Cicero‹ eine deskriptive Wendung wie ›der Autor dieser Werke‹ benutzt. Doch sobald man die Referenz festgelegt hat, benutzt man den Namen ›Cicero‹ *starr*, um den Mann zu bezeichnen, den man tatsächlich über seine Autorenschaft dieser Werke identifiziert hat. Man benutzt ihn nicht, um wen auch immer zu bezeichnen, der diese Werke anstelle von Cicero verfasst hätte, wenn jemand anderer sie geschrieben hätte. Es hätte der Fall sein können, dass der Mann, der diese Werke schrieb, nicht der Mann war, der Catilina anklagte. Cassius hätte diese Werke schreiben können. Doch man würde dann nicht sagen, Cicero wäre Cassius gewesen, es sei denn in einem sehr ungenauen und [157] metaphorischen Sinne. Man würde sagen, dass Cicero, den wir vielleicht über seine Werke identifiziert und kennengelernt haben, diese nicht geschrieben und dass sie stattdessen jemand anderer, etwa Cassius, geschrieben hätte.

Solche Beispiele geben keinen Grund dafür ab, Identitätsaussagen für kontingent zu halten. Hält man sie für einen solchen Grund, verwechselt man die Relation zwischen einem *Namen* und einer *Beschreibung, die zur Festlegung seiner Referenz verwendet wurde*, mit der Relation der *Synonymie*. Selbst wenn man die Referenz eines Namens wie ›Cicero‹ als der Mann, der diese und jene Werke verfasst hat, festlegt, spricht man, wenn man von Cicero in

terfactual situations, when we speak of Cicero, we do not then speak of whoever in such counterfactual situations *would* have written such and such works, but rather of Cicero, whom we have identified by the contingent property that he is the man who in fact, that is, in the actual world, wrote certain works.[15]

I hope this is reasonably clear in a brief compass. Now, actually I have been presupposing something I do not really believe to be, in general, true. Let us suppose that we do fix

---

15 If someone protests, regarding the lectern, that it *could* after all have *turned out* to have been made of ice, and therefore could have been made of ice, I would reply that what he really means is that *a lectern* could have looked just like this one, and have been placed in the same position as this one, and yet have been made of ice. In short, I could have been in the *same epistemological situation* in relation to *a lectern made of ice* as I actually am in relation to *this* lectern. In the main text, I have argued that the same reply should be given to protests that Hesperus could have turned out to be other than Phosphorus, or Cicero other than Tully. Here, then, the notion of 'counterpart' comes into its own. For it is not this table, but an epistemic 'counterpart', which was hewn from ice; not Hesperus-Phosphorus-Venus, but two distinct counterparts thereof, in two of the roles Venus actually plays (that of Evening Star and Morning Star), which are different. Precisely because of this fact, it is not *this table* which could have been made of ice. Statements about the modal properties of *this table* never refer to counterparts. However, if someone confuses the epistemological and the metaphysical problems, he will be well on the way to the counterpart theory Lewis and others have advocated.

kontrafaktischen Situationen redet, nicht von demjenigen, der in diesen kontrafaktischen Situationen diese und jene Werke verfasst *hätte*, sondern von Cicero, den wir über seine kontingente Eigenschaft identifiziert haben, der Mann zu sein, der tatsächlich, also in der tatsächlichen Welt, bestimmte Werke verfasst hat.[15]

Ich hoffe, dass dies als kurze Orientierung hinreichend klar ist. Nun, tatsächlich habe ich etwas vorausgesetzt, was ich im Allgemeinen eigentlich nicht für wahr halte. Neh-

---

15 Wenn jemand in Bezug auf das Pult einwendet, es *hätte* sich letztlich *herausstellen können*, dass es doch aus Eis gemacht ist, und es daher aus Eis hätte gemacht sein können, würde ich antworten, dass er eigentlich meint, dass *ein Pult* genau wie dieses hier aussehen und an derselben Stelle stehen, aber dennoch aus Eis hätte gemacht sein können. Kurz gesagt hätte ich bezüglich *eines aus Eis gemachten Pults* in *derselben epistemologischen Situation* sein können, in der ich bezüglich *dieses* Pults tatsächlich bin. Im Haupttext habe ich dafür argumentiert, dass dieselbe Antwort auf den Einwand gegeben werden sollte, dass sich Hesperus als von Phosphorus oder Cicero als von Tullius verschieden hätte herausstellen können. Hier kommt der Begriff des ›Gegenstücks‹ zu seinem Recht. Schließlich ist es nicht dieser Tisch, sondern ein epistemisches ›Gegenstück‹, das aus Eis gemeißelt wurde; nicht Hesperus-Phosphorus-Venus, sondern zwei unterschiedliche Gegenstücke davon, die in zwei der Rollen schlüpfen, die Venus tatsächlich spielt (die des Abendsterns und des Morgensterns), die voneinander verschieden sind. Aufgrund genau dieser Tatsache ist es nicht *dieser Tisch*, der aus Eis hätte gemacht sein können. Aussagen über die modalen Eigenschaften *dieses Tisches* nehmen nie auf Gegenstücke Bezug. Wenn allerdings jemand die epistemologischen und die metaphysischen Probleme verwechselt, dann ist er bereits auf dem besten Weg zu der von Lewis und anderen vertretenen Gegenstücktheorie.

the reference of a name by a description. Even if we do so, we do not then make the name *synonymous* with the description, but instead we use the name *rigidly* to refer to the object so named, even in talking about counterfactual situations where the thing named would not satisfy the description in question. Now, this is what I think in fact is true for those cases of naming where the reference is fixed by description. But, in fact, I also think, contrary to most recent theorists, that the reference of names is rarely or almost never fixed by means of description. And by this I do not just mean what Searle says: "It's not a single description, but rather a cluster, a family of properties which fixes the reference." I mean that properties in this sense are not used *at all*. But I do not have the time to go into this here. So, let us suppose that at least one half of prevailing views about naming is true, that the reference is fixed by descriptions. Even were that true, the name would not be synonymous with the descrip-[158]tion, but would be used to *name* an object which we pick out by the contingent fact that it satisfies a certain description. And so, even though we can imagine a case where the man who wrote these works would not have been the man who denounced Cataline, we should not say that that would be a case in which Cicero would not have been Tully. We should say that it is a case in

men wir an, dass wir die Referenz eines Namens mit Hilfe einer Beschreibung festlegen. Selbst dann, wenn wir das tun, machen wir damit den Namen nicht *synonym* mit der Beschreibung, sondern wir benutzen den Namen *starr*, um auf den so benannten Gegenstand zu referieren, selbst dann, wenn wir über kontrafaktische Situationen sprechen, in denen der benannte Gegenstand die entsprechende Beschreibung nicht erfüllt. Das ist es, was ich in jenen Fällen der Namensgebung für wahr halte, in denen die Referenz mit Hilfe einer Beschreibung festgelegt wird. Doch ich bin anders als die meisten Theoretiker der jüngsten Zeit auch der Meinung, dass die Referenz von Namen eigentlich selten oder fast nie vermittels Beschreibungen festgelegt wird. Und damit meine ich nicht lediglich das, was Searle sagt: »Es ist nicht eine einzelne Beschreibung, sondern ein Bündel, eine Familie von Eigenschaften, das/die die Referenz festlegt.« Ich meine, dass Eigenschaften in diesem Sinne *überhaupt nicht* benutzt werden. Mir fehlt hier jedoch die Zeit, näher darauf einzugehen. Angenommen, dass also zumindest die eine Hälfte der vorherrschenden Auffassungen über Namensgebung wahr ist, dass die Referenz mit Hilfe von Beschreibungen festgelegt wird. Selbst wenn das wahr sein sollte, wäre der Name nicht synonym mit der [158] Beschreibung, sondern würde gebraucht, um einen Gegenstand zu *benennen*, den man anhand der kontingenten Tatsache herausgreift, dass er eine bestimmte Beschreibung erfüllt. Obwohl man sich also einen Fall vorstellen kann, in dem der Mann, der diese Werke verfasst hat, nicht der Mann gewesen wäre, der Catilina anklagte, sollte man nicht sagen, dass das ein Fall gewesen wäre, in dem Cicero nicht Tullius gewesen wäre. Man sollte sagen, dass es ein Fall ist,

which Cicero did not write these works, but rather that Cassius did. And the identity of Cicero and Tully still holds.

Let me turn to the case of heat and the motion of molecules. Here surely is a case that is contingent identity! Recent philosophy has emphasized this again and again. So, if it is a case of contingent identity, then let us imagine under what circumstances it would be false. Now, concerning this statement I hold that the circumstances philosophers apparently have in mind as circumstances under which it would have been false are not in fact such circumstances. First, of course, it is argued that "Heat is the motion of molecules" is an a posteriori judgment; scientific investigation might have turned out otherwise. As I said before, this shows nothing against the view that it is necessary – at least if I am right. But here, surely, people had very specific circumstances in mind under which, so they thought, the judgment that heat is the motion of molecules would have been false. What were these circumstances? One can distill them out of the fact that we found out empirically that heat is the motion of molecules. How was this? What did we find out first when we found out that heat is the motion of molecules? There is a certain external phenomenon which we can sense by the sense of touch, and it produces a sensation which we call "the sensation of heat." We then discover that the external phenomenon which produces this sensation, which we sense, by means of our sense of touch, is in fact that of molecular agitation in the thing that we touch,

in dem nicht Cicero diese Werke verfasst hat, sondern Cassius. Die Identität von Cicero und Tullius bleibt bestehen.

Ich möchte mich nun dem Fall von Wärme und der Bewegung von Molekülen zuwenden. Dabei handelt es sich sicherlich um einen Fall kontingenter Identität! In der Philosophie wurde das in letzter Zeit wieder und wieder betont. Wenn das also ein Fall kontingenter Identität ist, dann sollten wir uns überlegen, unter welchen Umständen dies falsch wäre. Ich behaupte, dass die Umstände, die Philosophen anscheinend für solche halten, unter denen dies falsch wäre, gar keine derartigen Umstände sind. Erstens wird selbstverständlich vorgebracht, »Wärme ist die Bewegung von Molekülen« sei ein Urteil a posteriori; die wissenschaftlichen Untersuchungen hätten auch anders ausfallen können. Wie ich schon ausgeführt habe, zeigt das – zumindest dann, wenn ich recht habe – nichts, das der Auffassung widerspricht, dass dies notwendig ist. Doch hatten die Leute hier sicherlich ganz bestimmte Umstände im Sinn, unter denen das Urteil, dass Wärme die Bewegung von Molekülen ist, ihrer Ansicht nach falsch gewesen wäre. Was waren diese Umstände? Man kann sie aus der Tatsache ableiten, dass man auf empirische Weise herausfand, dass Wärme die Bewegung von Molekülen ist. Wie kam das? Was fand man erst heraus, als man herausfand, dass Wärme die Bewegung von Molekülen ist? Es gibt ein bestimmtes externes Phänomen, das wir mit Hilfe des Tastsinns wahrnehmen können, und das erzeugt eine Empfindung, die man »Wärmeempfindung« nennt. Im Anschluss entdeckt man, dass das externe Phänomen, das diese Empfindung erzeugt, die wir mit Hilfe unseres Tastsinns wahrnehmen, tatsächlich molekulare Bewegung in dem Gegenstand ist,

a very high degree of molecular agitation. So, it might be thought, to imagine a situation in which heat would not have been the motion of molecules, we need only imagine a situation in which we would have had the very same sensation and it would have been produced by something other than the motion of molecules. Similarly, if we wanted to imagine a situation in which light was not a stream of photons, we could imagine a situation in which we were sensitive to something else in exactly the same way, producing what we call visual experiences, though not through a stream of photons. To make the case stronger, or to look at another side of the coin, we could also consider a situation in which we *are* concerned with the motion of molecules but in which such motion does not give us the sensation of heat. And it might also have happened that we, or, at least, the creatures inhabiting this planet, might have been so constituted that, let us say, an increase in the mo-[159]tion of molecules did not give us this sensation but that, on the contrary, a slowing down of the molecules did give us the very same sensation. This would be a situation, so it might be thought, in which heat would not be the motion of molecules, or, more precisely, in which temperature would not be mean molecular kinetic energy.

But I think it would not be so. Let us think about the situation again. First, let us think about it in the actual world. Imagine right now the world invaded by a number of Martians, who do indeed get the very sensation that we call

den wir berühren – ein sehr hoher Grad molekularer Bewegung. Man könnte daher der Meinung sein, man müsse sich nur eine Situation vorstellen, in der wir genau dieselbe Empfindung hätten, diese aber durch etwas anderes als die Bewegung von Molekülen erzeugt würde, um sich eine Situation vorzustellen, in der Wärme nicht die Bewegung von Molekülen wäre. Ähnlich könnte man sich eine Situation vorstellen, in der wir auf exakt dieselbe Weise für einen anderen Reiz als einen Photonenstrom empfindlich wären, der das, was wir visuelle Empfindungen nennen, erzeugt, wenn man sich eine Situation vorstellen wollte, in der Licht kein Photonenstrom wäre. Um den Punkt zuzuspitzen oder die Sache andersherum zu betrachten, könnte man sich auch eine Situation überlegen, in der man es *sehr wohl* mit der Bewegung von Molekülen zu tun hat, diese Bewegung in uns aber keine Wärmeempfindung auslöst. Und es hätte auch passieren können, dass wir, oder zumindest die Lebewesen, die diesen Planeten bewohnen, so beschaffen sind, dass etwa eine Zunahme der [159] Geschwindigkeit der Moleküle nicht diese Empfindung in uns auslöste, sondern umgekehrt eine Abnahme der Geschwindigkeit der Moleküle zu genau dieser Empfindung in uns führte. Man könnte der Meinung sein, dass es sich um eine Situation handelt, in der Wärme nicht die Bewegung von Molekülen wäre, oder genauer: in der Temperatur nicht mittlere kinetische Energie von Molekülen wäre.

Ich bin jedoch der Meinung, dass dem nicht so wäre. Denken wir noch einmal über die Situation nach. Denken wir zuerst an die tatsächliche Welt. Angenommen, einige Marsianer würden gerade auf die Erde eindringen, die tatsächlich die Empfindung haben, die man »Wärmeempfin-

"the sensation of heat" when they feel some ice which has slow molecular motion, and who do not get a sensation of heat – in fact, maybe just the reverse – when they put their hand near a fire which causes a lot of molecular agitation. Would we say, "Ah, this casts some doubt on heat being the motion of molecules, because there are these other people who don't get the same sensation"? Obviously not, and no one would think so. We would say instead that the Martians somehow feel the very sensation we get when we feel heat when they feel cold and that they do not get a sensation of heat when they feel heat. But now let us think of a counterfactual situation.[16] Suppose the earth had from the very beginning been inhabited by such creatures. First, imagine it inhabited by no creatures at all: then there is no

16 Isn't the situation I just described also counterfactual? At least it may well be, if such Martians never in fact invade. Strictly speaking, the distinction I wish to draw compares how we *would* speak *in* a (possibly counterfactual) situation, *if* it obtained, and how we *do* speak *of* a counterfactual situation, knowing that it does not obtain – i. e., the distinction between the language we would have used in a situation and the language we *do* use to describe it. (Consider the description: "Suppose we all spoke German." This description is in English.) The former case can be made vivid by imagining the counterfactual situation to be actual.

dung« nennt, wenn sie Eis anfassen, dessen Molekülbewegung langsam ist, und die keine Wärmeempfindung – oder vielleicht sogar genau das Gegenteil – haben, wenn sie ihre Hand in die Nähe eines Feuers halten, das eine starke Molekülbewegung verursacht. Würde man dann sagen: »Aha, das wirft Zweifel auf, ob Wärme die Bewegung von Molekülen ist, weil es diese anderen Personen gibt, in denen nicht dieselbe Empfindung ausgelöst wird«? Selbstverständlich nicht, und niemand würde das denken. Man würde stattdessen sagen, dass die Marsianer aus irgendeinem Grund genau die Empfindung haben, die wir empfinden, wenn wir etwas Warmes fühlen, wenn sie etwas Kaltes fühlen, und dass sie keine Wärmeempfindung haben, wenn sie etwas Warmes fühlen. Denken wir nun an eine kontrafaktische Situation.[16] Angenommen, die Erde wäre von Anfang an von solchen Wesen bewohnt worden. Stellen wir uns zuerst vor, sie wäre von gar keinen Wesen bewohnt worden. Dann hätte es niemanden gegeben, der

16 Ist die gerade eben beschriebene Situation nicht auch kontrafaktisch? Zumindest könnte sie das gut sein, wenn solche Marsianer niemals auf die Erde eindringen. Streng genommen möchte ich unterscheiden, wie wir *in* einer (möglicherweise kontrafaktischen) Situation sprechen *würden, falls* diese eintreten würde, und wie wir *tatsächlich über* eine kontrafaktische Situation sprechen, von der wir wissen, dass sie nicht eintritt – also die Unterscheidung zwischen der Sprache, von der wir in einer Situation Gebrauch gemacht hätten, und der Sprache, die wir *tatsächlich* gebrauchen, um diese zu beschreiben. (Nehmen wir die Beschreibung: »Angenommen, wir alle sprächen Deutsch [so im Original].« Diese Beschreibung ist ein englischer [so im Original] Satz.) Den ersten Fall kann man veranschaulichen, indem man sich die kontrafaktische Situation als tatsächlich vorstellt.

one to feel any sensations of heat. But we would not say that under such circumstances it would necessarily be the case that heat did not exist; we would say that heat might have existed, for example, if there were fires that heated up the air.   5

Let us suppose the laws of physics were not very different: Fires do heat up the air. Then there would have been heat even though there were no creatures around to feel it. Now let us suppose evolution takes place, and life is created, and there are some creatures around. But they are not 10 like us, they are more like the Martians. Now would we say that heat has suddenly turned to cold, because of the way the creatures of this planet sense it? No, I think we should describe this situation as a situation in which, though the creatures on this planet got our sensation of heat, they did 15 not get it when they were exposed to heat. They got it when they were exposed to cold. And that is something we can surely well imagine. We can imagine it just as we can imagine our planet being invaded by creatures of this sort. Think of it in two steps. First [160] there is a stage where there are 20 no creatures at all, and one can certainly imagine the planet still having both heat and cold, though no one is around to sense it. Then the planet comes through an evolutionary process to be peopled with beings of different neural structure from ourselves. Then these creatures could be such 25 that they were insensitive to heat; they did not feel it in the

Wärmeempfindungen gehabt hätte. Doch man würde nicht behaupten, dass es unter solchen Umständen notwendigerweise der Fall wäre, dass Wärme nicht existiert hätte; man würde sagen, dass Wärme existiert haben könnte, beispielsweise wenn es Feuer gegeben hätte, die die Luft erwärmten.

Angenommen, die Gesetze der Physik wären nicht viel anders: Feuer erwärmen die Luft. Dann hätte es auch dann Wärme gegeben, wenn es keine Lebewesen gegeben hätte, die sie fühlen. Angenommen, es findet Evolution statt, Leben wird erzeugt, und es gibt nun einige Lebewesen. Sie sind jedoch nicht wie wir, sondern ähneln eher den Marsianern. Würde man dann sagen, dass Wärme sich aufgrund der Art und Weise, wie die Lebewesen auf diesem Planeten sie empfinden, plötzlich in Kälte verwandelt hat? Nein, ich meine, man sollte diese Situation als eine beschreiben, in der die Lebewesen zwar unsere Wärmeempfindung hätten, allerdings nicht, wenn sie Wärme ausgesetzt sind. Sie hätten sie, wenn sie Kälte ausgesetzt sein würden. Und das kann man sich sicherlich gut vorstellen. Man kann sich das genauso gut vorstellen, wie man sich vorstellen kann, dass derartige Lebewesen auf unseren Planeten kommen. Man kann dies in zwei Schritte aufteilen. Zuerst [160] gibt es ein Stadium, in dem es noch gar keine Lebewesen gibt, und man kann sich sicherlich leicht vorstellen, dass es auf dem Planeten dennoch Wärme und Kälte gibt, auch wenn es niemanden gibt, der sie fühlt. Dann vollzieht sich auf dem Planeten ein evolutionärer Prozess, durch den er von Lebewesen bevölkert wird, die eine andere neuronale Struktur aufweisen als wir. Diese Lebewesen könnten so beschaffen sein, dass sie unempfindlich für Wärme sind; sie würden

way we do; but on the other hand, they felt cold in much the same way that we feel heat. But still, heat would be heat, and cold would be cold. And particularly, then, this goes in no way against saying that in this counterfactual situation heat would still *be* the molecular motion, *be* that which is produced by fires, and so on, just as it would have been if there had been no creatures on the planet at all. Similarly, we could imagine that the planet was inhabited by creatures who got visual sensations when there were sound waves in the air. We should not therefore say, "Under such circumstances, sound would have been light." Instead we should say, "The planet was inhabited by creatures who were in some sense visually sensitive to sound, and maybe even visually sensitive to light." If this is correct, it can still be and will still be a necessary truth that heat is the motion of molecules and that light is a stream of photons.

To state the view succinctly: we use both the terms 'heat' and 'the motion of molecules' as rigid designators for a certain external phenomenon. Since heat is in fact the motion of molecules, and the designators are rigid, by the argument I have given here, it is going to be *necessary* that heat is the motion of molecules. What gives us the illusion of contingency is the fact we have identified the heat by the contingent fact that there happen to be creatures on this planet – (namely, ourselves) who are sensitive to it in a certain way,

sie nicht auf dieselbe Weise wie wir empfinden; andererseits würden sie Kälte ziemlich genau so empfinden, wie sich Wärme für uns anfühlt. Dennoch wäre Wärme Wärme und Kälte Kälte. Insbesondere würde das dann in keinerlei Hinsicht dagegensprechen, dass in dieser kontrafaktischen Situation Wärme weiterhin Molekularbewegung *sein* würde; das *sein* würde, was durch Feuer erzeugt wird, und so weiter, genau wie es auch gewesen wäre, wenn es keine Lebewesen auf dem Planeten gegeben hätte. Ähnlich könnte man sich vorstellen, dass der Planet von Lebewesen hätte bevölkert sein können, die visuelle Eindrücke haben, wenn es Schallwellen in der Luft gibt. Man sollte daher nicht sagen: »Unter solchen Umständen wäre Schall Licht gewesen.« Stattdessen sollte man sagen: »Der Planet wäre von Lebewesen bevölkert, die in gewissem Sinne visuell schallempfindlich und vielleicht auch visuell lichtempfindlich sind.« Falls das richtig ist, kann und wird es immer noch eine notwendige Wahrheit sein, dass Wärme die Bewegung von Molekülen und Licht ein Photonenstrom ist.

Um die Auffassung knapp zusammenzufassen: Man gebraucht die Ausdrücke ›Wärme‹ und ›die Bewegung von Molekülen‹ beide als starre Bezeichner eines bestimmten externen Phänomens. Da Wärme tatsächlich die Bewegung von Molekülen ist und die Bezeichner starr sind, ist es gemäß dem Argument, das ich hier vorgebracht habe, *notwendig*, dass Wärme die Bewegung von Molekülen ist. Was uns das kontingent erscheinen lässt, ist die Tatsache, dass wir Wärme anhand der kontingenten Tatsache identifiziert haben, dass es zufälligerweise Lebewesen auf diesem Planeten gibt (nämlich uns selbst), die sie auf bestimmte Weise wahrnehmen, die also für Molekülbewegung oder

that is, who are sensitive to the motion of molecules or to heat – these are one and the same thing. And this is contingent. So we use the description, 'that which causes such and such sensations, or that which we sense in such and such a way', to identify heat. But in using this fact we use a contingent property of heat, just as we use the contingent property of Cicero as having written such and such works to identify him. We then use the terms 'heat' in the one case and 'Cicero' in the other *rigidly* to designate the objects for which they stand. And of course the term 'the motion of molecules' is rigid; it always stands for the motion of molecules, never for any other phenomenon. So, as Bishop Butler said, "everything is what it is and not another thing." Therefore, "Heat is the motion of molecules" will be necessary, not contingent, and one only has the *illusion* of contingency in the way one could have the illusion of contingency in thinking that this table might have been made of ice. We might think one could imagine it, but if we try, we can see on reflection that what we are really imagining is just there being another [161] lectern in this very position here which was in fact made of ice. The fact that we may identify this lectern by being the object we see and touch in such and such a position is something else.

Now how does this relate to the problem of mind and body? It is usually held that this is a contingent identity statement just like "Heat is the motion of molecules." That cannot be. It cannot be a contingent identity statement just

Wärme empfindlich sind – das ist ein- und dasselbe. Und
das ist kontingent. Man verwendet also die Beschreibung
›das, was diese und jene Empfindungen verursacht, oder
das, was wir auf diese und jene Weise wahrnehmen‹, um
Wärme zu identifizieren. Doch dadurch verwendet man eine kontingente Eigenschaft von Wärme, ähnlich wie man
auch die kontingente Eigenschaft von Cicero verwendet,
diese und jene Werke verfasst zu haben, um ihn zu identifizieren. Man gebraucht die Ausdrücke ›Wärme‹ im einen und
›Cicero‹ im anderen Fall *starr*, um die Gegenstände zu bezeichnen, für die sie stehen. Und selbstverständlich ist der
Ausdruck ›die Bewegung von Molekülen‹ starr; er steht immer für die Bewegung von Molekülen und nie für ein anderes Phänomen. Wie also Bischof Butler sagte: »Alles ist, was
es ist, und nichts anderes.« Daher ist »Wärme ist die Bewegung von Molekülen« notwendig, nicht kontingent und *erscheint* einem nur kontingent, ähnlich wie einem die Über-
zeugung kontingent erscheinen könnte, dass dieser Tisch
aus Eis hätte gemacht sein können. Man könnte meinen,
sich das vorstellen zu können, sollte man es jedoch wirklich
versuchen, erkennt man nach gründlicher Überlegung, dass
das, was man sich tatsächlich vorstellt, lediglich ein anderes
[161] Rednerpult an genau dieser Stelle ist, das tatsächlich aus
Eis gemacht wurde. Die Tatsache, dass man dieses Pult als
jenen Gegenstand identifizieren könnte, den man an dieser
und jener Stelle sehen und fühlen kann, ist etwas anderes.

Wie hängt das nun mit dem Körper-Geist-Problem zusammen? Üblicherweise wird behauptet, dass es sich dabei
um eine kontingente Identitätsaussage handelt, genau wie
bei »Wärme ist die Bewegung von Molekülen«. Das kann
nicht sein. Es kann keine kontingente Identitätsaussage

like "Heat is the motion of molecules" because, if I am right, "Heat is the motion of molecules" is not a contingent identity statement. Let us look at this statement. For example, "My being in pain at such and such a time is my being in such and such a brain state at such and such a time," or, "Pain in general is such and such a neural (brain) state."

This is held to be contingent on the following grounds. First, we can imagine the brain state existing though there is no pain at all. It is only a scientific fact that whenever we are in a certain brain state we have a pain. Second, one might imagine a creature being in pain, but not being in any specified brain state at all, maybe not having a brain at all. People even think, at least prima facie, though they may be wrong, that they can imagine totally disembodied creatures, at any rate certainly not creatures with bodies anything like our own. So it seems that we can imagine definite circumstances under which this relationship would have been false. Now, if these circumstances are circumstances, notice that we cannot deal with them simply by saying that this is just an illusion, something we can apparently imagine, but in fact cannot in the way we thought erroneously that we could imagine a situation in which heat was not the motion of molecules. Because although we can say that we pick out heat contingently by the contingent property that it affects us in such and such a way, we cannot similarly say

ähnlich wie »Wärme ist die Bewegung von Molekülen« sein, weil »Wärme ist die Bewegung von Molekülen« keine kontingente Identitätsaussage ist, falls ich recht habe. Sehen wir uns diese Aussage an. Beispielsweise: »Mein Zu-dieser-und-jener-Zeit-Schmerzen-Haben ist mein Zu-dieser-und-jener-Zeit-in-diesem-und-jenem-Gehirnzustand-Sein« oder »Schmerz im Allgemeinen ist dieser und jener neuronale (Gehirn-)Zustand«.

Das wird aus den folgenden Gründen für kontingent gehalten. Erstens kann man sich die Existenz des Gehirnzustands vorstellen, auch wenn es gar keine Schmerzen gibt. Es handelt sich nur um eine wissenschaftliche Tatsache, dass wir Schmerzen haben, wann immer wir in einem bestimmten Gehirnzustand sind. Zweitens könnte man sich ein Lebewesen vorstellen, das Schmerzen hat, sich jedoch nicht in irgendeinem bestimmten Gehirnzustand befindet, vielleicht nicht einmal ein Gehirn hat. Manche glauben sogar, zumindest prima facie – sie könnten damit allerdings auch falsch liegen –, dass sie sich gänzlich körperlose Wesen vorstellen können; oder zumindest solche Lebewesen, die sicher keine Körper haben, die unseren auch nur irgendwie ähnlich sind. Es scheint also so zu sein, dass man sich konkrete Umstände vorstellen kann, unter denen dieser Zusammenhang nicht bestanden hätte. Unter der Voraussetzung, dass das nun solche Umstände sind, kann man diese nicht einfach als Illusion behandeln, als etwas, das man sich nur scheinbar vorstellen kann, jedoch nicht wirklich, so wie man dachte, sich eine Situation vorstellen zu können, in der Wärme nicht die Bewegung von Molekülen ist. Man kann zwar sagen, dass man Wärme kontingenterweise anhand ihrer kontingenten Eigenschaft herausgreifen kann,

that we pick out pain contingently by the fact that it affects us in such and such a way. On such a picture there would be the brain state, and we pick it out by the contingent fact that it affects us as pain. Now that might be true of the brain state, but it cannot be true of the pain. The experience itself has to be *this experience*, and I cannot say that it is a contingent property of the pain I now have that it is a pain.[17] In fact, it would seem [162] that both the terms, 'my pain' and

---

17 The most popular identity theories advocated today explicitly fail to satisfy this simple requirement. For these theories usually hold that a mental state is a brain state, and that what makes the brain state into a mental state is its 'causal role', the fact that it tends to produce certain behavior (as intentions produce actions, or pain, pain behavior) and to be produced by certain stimuli (e. g., pain, by pinpricks). If the relations between the brain state and its causes and effects are regarded as contingent, then *being such-and-such-a-mental-state* is a contingent property of the brain state. Let X be a pain. The causal-role identity theorist holds (1) that X is a brain state, (2) that the fact that X is a pain is to be analyzed (roughly) as the fact that X is produced by certain stimuli and produces certain behavior. The fact mentioned in (2) is, of course, regarded as contingent; the brain state X might well exist and not tend to produce the appropriate behavior in the absence of other conditions. Thus (1) and (2) assert that a certain pain X

diese und jene Wirkung auf uns zu haben, aber nicht, dass man Schmerz ebenfalls kontingenterweise anhand der Tatsache herausgreifen kann, dass er auf uns auf diese und jene Weise wirkt. Diesem Bild zufolge würde es den Gehirnzustand geben und man würde ihn anhand der kontingenten Tatsache herausgreifen, dass er auf uns als Schmerz wirkte. Das könnte zwar von dem Gehirnzustand wahr sein, nicht jedoch von dem Schmerz. Die Empfindung selbst muss *diese Empfindung* sein, und ich kann nicht sagen, dass es eine kontingente Eigenschaft des Schmerzes, den ich jetzt habe, ist, dass er ein Schmerz ist.[17] Erstens scheint es tatsächlich

---

17 Die heute am meisten verbreiteten Identitätstheorien werden dieser einfachen Bedingung ausdrücklich nicht gerecht. Üblicherweise besagen diese Theorien, dass ein mentaler Zustand ein Gehirnzustand und dass das, was den Gehirnzustand zu einem mentalen Zustand macht, seine ›kausale Rolle‹ ist: die Tatsache, dass er dazu neigt, ein bestimmtes Verhalten zu verursachen (so wie Absichten zu Handlungen und Schmerzen zu Schmerzverhalten führen) und von bestimmten Reizen verursacht zu werden (z. B. Schmerzen von Nadelstichen). Wenn die Beziehungen zwischen dem Gehirnzustand und seinen Ursachen und Wirkungen als kontingent betrachtet werden, dann ist es eine kontingente Eigenschaft des Gehirnzustandes, *ein mentaler Zustand dieser und jener Art zu sein.* Behaupten wir, X sei ein Schmerzzustand. Der Kausale-Rollen-Identitätstheoretiker behauptet (1), dass X ein Gehirnzustand ist, und (2), dass die Tatsache, dass X ein Schmerzzustand ist, (grob) als die Tatsache analysiert werden muss, dass X von bestimmten Reizen hervorgerufen wird und ein bestimmtes Verhalten hervorruft. Die in (2) genannte Tatsache wird natürlich als kontingent betrachtet; der Gehirnzustand X könnte genauso gut existieren und nicht dazu neigen, unter Abwesenheit anderer Bedingungen das entsprechende Verhalten hervorzurufen. Daher behaupten (1) und (2), dass ein be-

'my being in such and such a brain state' are, first of all, both rigid designators. That is, whenever anything is such and such a pain, it is essentially that very object, namely, such and such a pain, and wherever anything is such and such a brain state, it is essentially that very object, namely, such and such a brain state. So both of these are rigid designators. One cannot say this pain might have been something else, some other state. These are both rigid designators.

Second, the way we would think of picking them out –

might have existed, yet not have been a pain. This seems to me self-evidently absurd. Imagine any pain: is it possible that *it itself* could have existed, yet not have been a pain?

If $X = Y$, then X and Y share all properties, including modal properties. If X is a pain and Y the corresponding brain state, then *being a pain* is an essential property of X, and *being a brain state* is an essential property of Y. If the correspondence relation is, in fact, identity, then it must be *necessary* of Y that it corresponds to a pain, and *necessary* of X that it correspond[s] to a brain state, indeed to this particular brain state, Y. Both assertions seem false; it *seems* clearly possible that X should have existed without the corresponding brain state; or that the brain state should have existed without being felt as pain. Identity theorists cannot, contrary to their almost universal present practice, accept these intuitions; they must deny them, and explain them away. This is none too easy a thing to do.

so zu sein, [162] dass beide Ausdrücke, ›mein Schmerz‹ und ›mein In-diesem-und-jenem-Gehirnzustand-Sein‹, starre Bezeichner sind. Immer dann, wenn irgendetwas dieser und jener Schmerz ist, ist es wesentlich genau dieser Gegenstand, nämlich dieser und jener Schmerz, und immer dann, wenn irgendetwas dieser und jener Gehirnzustand ist, ist es wesentlich genau dieser Gegenstand, nämlich dieser und jener Gehirnzustand. Beide sind also starre Bezeichner. Man kann nicht behaupten, dieser Schmerz hätte etwas anderes sein können, irgendein anderer Zustand. Beide sind starre Bezeichner.

Zweitens greift man sie auf eine bestimmte Weise her-

stimmter Schmerzzustand X hätte existieren können, ohne zugleich ein Schmerzzustand zu sein. Das erscheint mir offensichtlich absurd. Man stelle sich irgendeinen Schmerzzustand vor: Ist es möglich, dass *dieser selbst* hätte existieren können, ohne zugleich ein Schmerzzustand zu sein?

Wenn $X = Y$, dann teilen sich X und Y alle Eigenschaften, einschließlich modaler Eigenschaften. Wenn X ein Schmerz und Y der zugehörige Gehirnzustand ist, dann ist es eine wesentliche Eigenschaft von X, *ein Schmerz zu sein*, und eine wesentliche Eigenschaft von Y, *ein Gehirnzustand zu sein*. Wenn die Zugehörigkeitsrelation tatsächlich die der Identität ist, dann muss es *notwendig* sein, dass zu Y ein Schmerz gehört, und es muss *notwendig* sein, dass zu X ein Gehirnzustand gehört – und zwar genau dieser eine bestimmte Gehirnzustand, Y. Beide Behauptungen scheinen falsch zu sein; es *scheint* klarerweise möglich zu sein, dass X ohne den zugehörigen Gehirnzustand hätte existieren können oder dass der Gehirnzustand hätte existieren können, ohne als Schmerz empfunden zu werden. Identitätstheoretiker können diese Intuitionen entgegen ihrer fast allgemeinen Praxis nicht akzeptieren; sie müssen sie bestreiten und wegerklären. Und das ist nicht ganz einfach.

namely, the pain by its being an experience of a certain sort, and the brain state by its being the state of a certain material object, being of such and such molecular configuration – both of these pick out their objects essentially and not accidentally, that is, they pick them out by essential properties. Whenever the molecules *are* in this configuration, we *do* have such and such a brain state. Whenever you feel *this*, you do have a pain. So it seems that the identity theorist is in some trouble, for, since we have two rigid designators, the identity statement in question is necessary. Because they pick out their objects essentially, we cannot say the case where you seem to imagine the identity statement false is really an illusion like the illusion one gets in the case of heat and molecular motion, because that illusion depended on the fact that we pick out heat by a certain contingent property. So there is very little room to maneuver; perhaps none.[18] The identity theorist, who holds that pain

18 A brief restatement of the argument may be helpful here. If "pain" and "C-fiber stimulation" are rigid designators of phenomena, one who identifies them must regard the identity as necessary. How can this necessity be reconciled with the apparent fact that C-fiber stimulation might have turned out not to be correlated with pain at all? We might try to reply by analogy to the case of heat and molecular motion; the latter identity, too, is necessary, yet someone may believe that, before scientific investigation showed otherwise, molecular motion might have turned out not to be heat. The reply is, of course, that what really is pos-

aus – nämlich den Schmerz anhand seines Ein-Erlebnis-ei-ner-bestimmten-Art-Seins und den Gehirnzustand anhand seines Der-Zustand-eines-bestimmten-materiellen-Ge-genstandes-Seins, der diese und jene molekulare Konfigura-tion aufweist – und beide greifen ihre Gegenstände wesent-lich und nicht zufällig, also anhand wesentlicher Eigen-schaften heraus. Immer dann, wenn die Moleküle diese Konfiguration *haben*, *hat* man diesen und jenen Gehirnzu-stand. Immer dann, wenn man *dies* empfindet, hat man Schmerzen. Es scheint also so zu sein, dass der Identitäts-theoretiker in einigen Schwierigkeiten steckt, da die fragli-che Identitätsaussage notwendig ist, weil man es mit zwei starren Bezeichnern zu tun hat. Da sie ihre Gegenstände wesentlich herausgreifen, kann man nicht behaupten, dass der Fall, in dem man sich die Identitätsaussage als falsch vor-stellt, eigentlich eine Illusion wie jene sei, die im Fall von Wärme und Molekularbewegung vorliegt; diese Illusion hing schließlich von der Tatsache ab, dass wir Wärme an-hand einer kontingenten Eigenschaft herausgreifen. Es gibt also kaum Bewegungsspielraum; vielleicht gar keinen.[18] Der

18 Eine kurze Wiederholung des Arguments könnte hier hilfreich sein. Wenn »Schmerz« und »C-Faser-Erregung« starre Bezeichner von Phänomenen sind, dann muss jemand, der diese als identisch erachtet, die Identität für notwendig halten. Wie kann diese Not-wendigkeit mit der augenscheinlichen Tatsache vereinbart wer-den, dass C-Faser-Erregung sich als nicht mit Schmerzen korre-liert hätte herausstellen können? Man könnte versuchen, ähnlich wie im Fall von Wärme und Molekularbewegung zu antworten; letztere Identität ist ebenfalls notwendig, und dennoch könnte jemand glauben, dass es sich hätte herausstellen können, dass Molekularbewegung nicht Wärme ist, bevor wissenschaftliche Untersuchungen dies gezeigt haben. Die Antwort lautet natür-

[163] is the brain state, also has to hold that it necessarily is the brain state. He therefore cannot concede, but has to deny, that there would have been situations under which one would have had pain but not the corresponding brain state. Now usually in arguments on the identity theory, this is very far from being denied. In fact, it is conceded from the

sible is that people (or some rational or sentient beings) could have been in the *same epistemic situation* as we actually are, and identify *a phenomenon* in the same way we identify heat, namely, by feeling it by the sensation we call "the sensation of heat," without the phenomenon being molecular motion. Further, the beings might not have been sensitive to molecular motion (i. e., to heat) by any neural mechanism whatsoever. It is impossible to explain the apparent possibility of C-fiber stimulations not having been pain in the same way. Here, too, we would have to suppose that we could have been in the same epistemological situation, and identify something in the same way we identify pain, without its corresponding to C-fiber stimulation. But the way we identify pain is by feeling it, and if a C-fiber stimulation could have occurred without our feeling any pain, then the C-fiber stimulation would have occurred without there *being* any pain, contrary to the necessity of the identity. The trouble is that although 'heat' is a rigid designator, heat is picked out by the contingent property of its being felt in a certain way; pain, on the other hand, is picked out by an essential (indeed necessary and sufficient) property. For a sensation to be *felt* as pain is for it to *be* pain.

Identitätstheoretiker, der behauptet, dass Schmerz [163] der Gehirnzustand ist, muss auch behaupten, dass er notwendigerweise der Gehirnzustand ist. Er kann also nicht zugestehen, sondern muss bestreiten, dass es Situationen hätte geben können, in denen man Schmerzen gehabt hätte, aber nicht den dazugehörigen Gehirnzustand. Üblicherweise ist man allerdings weit davon entfernt, dies in Argumenten zur Identitätstheorie zu bestreiten. Eigentlich wird das sowohl

lich, dass das, was tatsächlich möglich ist, ist, dass die Menschen (oder andere vernünftige oder empfindsame Wesen) in *derselben epistemischen Situation* sein könnten, in der wir tatsächlich sind, und *ein Phänomen* auf dieselbe Weise identifizieren würden, wie wir Wärme identifizieren, indem sie es nämlich über die Empfindung fühlen, die wir »die Wärmeempfindung« nennen, ohne dass das Phänomen Molekularbewegung ist. Außerdem könnte es sein, dass keine ihrer neuronalen Mechanismen diese Wesen empfindlich für Molekularbewegung (d. h. Wärme) machen. Es ist unmöglich, die augenscheinliche Möglichkeit, dass C-Faser-Erregung kein Schmerz sein könnte, auf diese Weise zu erklären. Wir müssten hier auch annehmen, dass wir in derselben epistemischen Situation sein und etwas auf dieselbe Weise identifizieren könnten, wie wir Schmerzen identifizieren, ohne dass es sich dabei um C-Faser-Erregung handelte. Doch wir identifizieren Schmerzen, indem wir sie fühlen, und wenn eine C-Faser-Erregung auftreten könnte, ohne dass wir Schmerzen empfinden, dann würde die C-Faser-Erregung auftreten, ohne dass es Schmerzen *geben* würde, im Widerspruch zur Notwendigkeit der Identität. Das Problem ist, dass, obwohl ›Wärme‹ ein starrer Bezeichner ist, Wärme anhand der kontingenten Eigenschaft, auf eine bestimmte Weise empfunden zu werden, herausgegriffen wird; Schmerz wird allerdings anhand einer wesentlichen (ja sogar anhand einer notwendigen und hinreichenden) Eigenschaft herausgegriffen. Für eine Empfindung gilt, dass sie dann, wenn sie als Schmerz *empfunden* wird, auch ein Schmerz *ist*.

outset by the materialist as well as by his opponent. He says, "Of course, it *could* have been the case that we had pains without the brain states. It is a contingent identity." But that cannot be. He has to hold that we are under some illusion in thinking that we can imagine that there could have been pains without brain states. And the only model I can think of for what the illusion might be, or at least the model given by the analogy the materialists themselves suggest, namely, heat and molecular motion, simply does not work in this case. So the materialist is up against a very stiff challenge. He has to show that these things we think we can see to be possible are in fact not possible. He has to show that these things which we can imagine are not in fact things we can imagine. And that requires some very different philosophical argument from the sort which has been given in the case of heat and molecular motion. And it would have to be a deeper and subtler argument than I can fathom and subtler than has ever appeared in any materialist literature that I have read. So the conclusion of this investigation would be that the analytical tools we are using go against the identity thesis and so go against the general thesis that mental states are just physical states.[19] [164]

19 All arguments against the identity theory which rely on the necessity of identity, or on the notion of essential property, are, of

vom Materialisten als auch von dessen Gegner von vornherein zugestanden. Er sagt: »Selbstverständlich *hätte* es der Fall sein können, dass wir ohne den Gehirnzustand Schmerzen haben. Es handelt sich um eine kontingente Identität.«
Das kann aber nicht sein. Er muss behaupten, dass man einer Illusion erliegt, wenn man glaubt, sich vorstellen zu können, dass es Schmerzen ohne Gehirnzustände hätte geben können. Und das einzige Modell, das mir dafür in den Sinn kommt, um welche Illusion es sich handeln könnte, oder zumindest das Modell, das zu der Analogie passt, die die Materialisten selbst vorschlagen, nämlich Wärme und molekulare Bewegung, funktioniert in diesem Fall schlicht und einfach nicht. Der Materialist steht also einer sehr anspruchsvollen Herausforderung gegenüber. Er hat zu zeigen, dass diese Dinge, die wir augenscheinlich für möglich halten, tatsächlich nicht möglich sind. Er hat zu zeigen, dass diese Dinge, die wir uns vorstellen können, tatsächlich nichts sind, was vorstellbar ist. Und das erfordert ein philosophisches Argument, das sich von der Art, wie es für den Fall von Wärme und molekularer Bewegung angegeben wurde, maßgeblich unterscheidet. Es müsste tiefgründiger und scharfsinniger sein als alle Argumente, die ich ausfindig machen konnte, und raffinierter als alle, die je in der materialistischen Literatur erschienen sind, die ich gelesen habe. Die Konklusion dieser Untersuchung lautet also, dass die von mir benutzten analytischen Werkzeuge gegen die Identitätsthese sprechen, also gegen die generelle These, dass mentale Zustände lediglich physische Zustände sind.[19] [164]

---

19 Alle Argumente gegen die Identitätstheorie, die auf der Notwendigkeit der Identität oder dem Begriff einer wesentlichen Eigen-

The next topic would be my own solution to the mind-body problem, but that I do not have.

course, inspired by Descartes' argument for his dualism. The earlier arguments which superficially were rebutted by the analogies of heat and molecular motion, and the bifocals inventor who was also Postmaster General, had such an inspiration; and so does my argument here. R. Albritton and M. Slote have informed me that they independently have attempted to give essentialist arguments against the identity theory, and probably others have done so as well.

The simplest Cartesian argument can perhaps be restated as follows: Let 'A' be a *name* (rigid designator) of Descartes' body. Then Descartes argues that since he could exist even if A did not, $\Diamond(\text{Descartes} \neq A)$, hence Descartes $\neq A$. Those who have accused him of a modal fallacy have forgotten that 'A' is rigid. His argument is valid, and his conclusion is correct, provided its (perhaps dubitable) premise is accepted. On the other hand, provided that Descartes is regarded as having ceased to exist upon his death, "Descartes $\neq A$" can be established without the use of a modal argument; for if so, no doubt A survived Descartes when A was a corpse. Thus A had a property (existing at a certain time) which Descartes did not. The same argument can establish that a statue is not the hunk of stone, or the congery of molecules, of which it is composed. Mere non-identity, then, may be a weak conclusion. (See D. Wiggins, *Philosophical Review*, Vol. 77 (1968), pp. 90 ff.) The Cartesian modal argument, however, surely can be deployed to maintain relevant stronger conclusions as well.

Das nächste Thema wäre meine eigene Lösung für das Körper-Geist-Problem, doch eine solche habe ich nicht.

schaft aufbauen, sind natürlich von Descartes' Argument für seinen Dualismus inspiriert. Die früheren Argumente, die durch die Analogie zu Wärme und Molekularbewegung und zum Erfinder der Zweistärkenbrille, der auch Postminister war, oberflächlich entkräftet wurden, wurden von diesen angeregt; ähnlich wie mein Argument hier. R. Albritton und M. Slote haben mir berichtet, dass sie unabhängig voneinander versucht haben, essentialistische Argumente gegen die Identitätstheorie zu formulieren, und andere haben vermutlich dasselbe getan.

Das einfachste Cartesische Argument ist womöglich das Folgende: Sei ›A‹ ein *Name* (starrer Bezeichner) von Descartes' Körper. Descartes behauptet, dass $\Diamond$ (Descartes ≠ A), weil er selbst dann existieren könnte, wenn es A nicht geben würde, und daher gilt: Descartes ≠ A. Jene, die ihm einen modalen Fehlschluss vorgeworfen haben, haben nicht berücksichtigt, dass ›A‹ starr ist. Sein Argument ist valide und seine Konklusion ist korrekt, sofern man seine (womöglich bezweifelbare) Prämisse akzeptiert. Unter der Annahme, dass Descartes bei seinem Tod aufgehört hat zu existieren, kann »Descartes ≠ A« ohne Rückgriff auf ein modales Argument gezeigt werden; denn dann hätte A Descartes zweifellos als Leichnam überlebt. Also hatte A eine Eigenschaft (zu einer bestimmten Zeit zu existieren), die Descartes nicht hatte. Dasselbe Argument kann dafür vorgebracht werden, dass eine Statue nicht der Steinbrocken oder die Ansammlung von Molekülen ist, aus der sie besteht. Bloße Nicht-Identität ist daher womöglich eine schwache Konklusion. (Siehe D. Wiggins, *Philosophical Review*, Bd. 77 (1968) S. 90 ff.) Das Cartesische modale Argument kann allerdings sicherlich auch für erheblich stärkere Konklusionen herangezogen werden.

Zu dieser Ausgabe

Der Abdruck des englischen Originaltextes folgt dem Sammelband:

Milton Karl Munitz (Hrsg.): Identity and Individuation. New York: New York University Press, 1971. S. 135–164.

Die Originalpaginierung wird in eckigen Klammern wiedergegeben. Typographische Besonderheiten, wie etwa zur Hervorhebung kursiv gesetzter Textteile, wurden beibehalten. Die Rechtschreibung und Zeichensetzung folgt der Vorlage buchstaben- und zeichengenau.

Anmerkungen

7,7 *synthetische Urteile a priori:* siehe Kant (KrV: B19). Ein Urteil ist dann synthetisch, wenn sich dessen Wahrheit (anders als bei analytischen Urteilen) nicht unmittelbar aus rein begrifflichen Zusammenhängen der darin vorkommenden Ausdrücke ergibt. Urteile a priori lassen sich (anders als Urteile a posteriori) ohne Rückgriff auf empirische Beobachtung fällen bzw. rechtfertigen.

7,28–9,25 *ohne schriftliche Vorlage … Vorlesungen zum Thema Identität an der New York University … vorgetragen / Eine längere Version … an einem anderen Ort:* Der Sammelband mit dem Titel *Identity and Individuation* wurde herausgegeben von Milton K. Munitz, New York: NYU Press, 1971. Die »längere Version« ist die 1980 als Monographie erschienene Schrift *Naming and Necessity*, Cambridge: Harvard University Press, ursprünglich 1972 erschienen im Sammelband *Semantics of Natural Language*, hrsg. von Donald Davidson und Gilbert Harman, Dordrecht: D. Reidel.

9,1 f. *das Gesetz der Substituierbarkeit des Identischen:* Teil des Prinzips der Ununterscheidbarkeit des Identischen, das besagt, dass identische Gegenstände sich sämtliche Eigenschaften teilen. Letzteres ist die Umkehr des wesentlich umstritteneren Prinzips der Identität des Ununterscheidbaren, dem zufolge Gegenstände, die sich sämtliche Eigenschaften teilen, identisch sind. Beide Prinzipien zusammengenommen bilden das Gottfried Wilhelm Leibniz (1646–1716) zugeschriebene Leibniz'sche Gesetz (vgl. Anm. zu 27,13).

11,8 *David Wiggins:* * 1933, britischer Philosoph. In seinen Schriften im Bereich der Metaphysik beschäftigt er sich vornehmlich mit Fragen der Identität.

13,24 f. *kontrafaktischen Situation:* eine Situation, die nicht tatsächlich eintritt, aber eintreten hätte können.

15,10 *Modalität de re:* In modalen Aussagen *de re* (›über die Sache‹) wird von einem *Gegenstand* behauptet, dass er notwendigerweise oder möglicherweise bestimmte Eigenschaften hat. In modalen Aussagen *de dicto* (›über das Gesagte‹) hingegen wird von einer *Aussage* behauptet, dass sie notwendigerweise oder möglicherweise wahr ist.

17,29 *Bertrand Russell:* 1872–1970, weltberühmter britischer Philosoph, Logiker, Mathematiker und Historiker, der als Anti-Kriegs-Aktivist und Verfechter des Humanismus und der Meinungsfreiheit auch gesellschaftspolitisch großen Einfluss hatte. 1950 wurde er für seine gesellschaftspolitischen Schriften mit dem Nobelpreis für Literatur ausgezeichnet. Russell gilt als einer der Begründer der analytischen Tradition in der Philosophie des 20. Jahrhunderts.

17,29 f. *Skopus:* Anhand des Skopus einer Beschreibung lassen sich zwei Lesarten von Aussagen wie »Der Autor von *Hamlet* hätte *Hamlet* nicht schreiben können« unterscheiden, wie eine halbformale Darstellung deutlich macht. Der (vergleichsweise unproblematischen) Lesart mit weitem Skopus zufolge gibt es einen Gegenstand *x*, für den gilt: *x* hat *Hamlet* geschrieben, und es ist möglich, dass: *x* hat *Hamlet* nicht geschrieben. Hier liegt lediglich »*x* hat *Hamlet* nicht geschrieben« im Skopus (›Anwendungsbereich‹) des Möglichkeitsoperators. Laut der (widersprüchlichen) Lesart mit engem Skopus ist es hingegen möglich, dass es einen Gegenstand *x* gibt, für den gilt: *x* hat *Hamlet* geschrieben und *x* hat *Hamlet* nicht geschrieben. Hier wird der Möglichkeitsoperator auf die gesamte Aussage angewandt.

23,8 f. *Benjamin Franklin:* 1706–1790, US-amerikanischer Geschäftsmann, Autor, Wissenschaftler und Politiker. Er zählt zu den Gründervätern der Vereinigten Staaten von Amerika. Von 1775 bis 1776 war er der erste Postminister der USA. Zu seinen zahlreichen Erfindungen zählen die Zweistärkenbrille und der Blitzableiter.

23,22 *Quines Problem des ›Essenzialismus‹:* Quine (vgl. Anm. zu 29,11) hält den Essenzialismus, also die Idee, dass Gegenstände wesentliche Eigenschaften haben, ohne die sie nicht existieren können, und die sie daher notwendigerweise haben, für problematisch. Aus seiner Sicht lässt sich lediglich von Aussagen sinnvoll behaupten, sie seien notwendig.

25,9 *Cicero:* Marcus Tullius Cicero (106–43 v. Chr.), römischer Politiker, Jurist und Philosoph, der für seine Prozessreden berühmt war.

25,17 *Frege:* Gottlob Frege (1848–1925), deutscher Mathematiker, Logiker und Philosoph. Neben Bertrand Russell (vgl. Anm. zu 17,29)

gilt er als einer der Begründer der Beschreibungstheorie von Eigennamen, gegen die Kripke sich hier wendet.

25,17 *ein einfacher nicht-iterierter Kontext:* Bei einem iterierten Kontext denkt Kripke an verschachtelte Aussagen, z. B. über Überzeugungen, wie etwa »Petra glaubt, dass Hannes glaubt, dass Karin glaubt, dass Graz die Hauptstadt der Steiermark ist«. Bei einfachen, nicht ineinander verschachtelten Aussagen über Überzeugungen, wie etwa »Karin glaubt, dass Graz die Hauptstadt der Steiermark ist«, liegt hingegen ein nicht-iterierter Kontext vor.

25,27 *›starrer Bezeichner‹:* Ein starrer Bezeichner ist ein Ausdruck, der in Bezug auf jede mögliche Welt denselben Gegenstand bezeichnet, und nie etwas anderes. Kripke zufolge sind Eigennamen und Ausdrücke für natürliche Arten starre Bezeichner.

25,29 *Hintikkas:* Jaakko Hintikka (1929–2015), finnischer Logiker und Philosoph. Er gilt als Pionier der formalen epistemischen Logik, einem Teilgebiet der Modallogik, das sich mit Wissenszuschreibungen beschäftigt.

27,13 *das Leibniz'sche Gesetz:* Das Leibniz'sche Gesetz besteht genau genommen aus dem Prinzip der Ununterscheidbarkeit des Identischen und dem Prinzip der Identität des Ununterscheidbaren. Kripke meint hier allerdings nur ersteres Prinzip. Es besagt, dass x und y sämtliche Eigenschaften gemeinsam haben, sofern es sich bei x und y um ein und denselben Gegenstand handelt (vgl. hier auch die Anm. zu 9,1 f.).

27,19 *$(a = b \cdot Fa) \supset Fb$:* Der Punkt drückt eine Konjunktion, also ein logisches »und«, aus. Im Nachwort wird dafür das heute gebräuchlichere Symbol »∧« verwendet.

27,25 f. *Identitätsaussagen zwischen Eigennamen:* Die Rede von Identitätsaussagen zwischen Eigennamen ist missverständlich. Man müsste eigentlich sagen, dass Identitätsaussagen, die Eigennamen links und rechts des Identitätszeichens aufweisen, notwendig sein müssen, wenn sie überhaupt wahr sein sollen. Schließlich wird nicht die notwendige Identität der Eigennamen behauptet, sondern die notwendige Identität der von den Eigennamen bezeichneten Gegenstände.

27,28 *Ruth Barcan Marcus:* 1921–2012, US-amerikanische Logikerin

und Philosophin. Im Bereich der quantifizierten Modallogik ist sie vor allem für die nach ihr benannten Barcan-Formeln bekannt. In Bezug auf Eigennamen steht sie mit ihrer Auffassung zwischen Kripke und Quine.

29,11 *Quine:* Willard Van Orman Quine (1908–2000), US-amerikanischer Logiker und Philosoph. Er gilt als einer der einflussreichsten Philosophen analytischer Tradition. Zu seinen wichtigsten Beiträgen gehören seine Kritik an der traditionellen Unterscheidung zwischen analytischen und synthetischen Aussagen, seine These der Kontinuität von Philosophie und Naturwissenschaften sowie seine Arbeit zu Russells Theorie bestimmter Beschreibungen und den ontologischen Verpflichtungen (d. h. Verpflichtungen in Bezug darauf, was existiert), die wissenschaftliche Theorien mit sich bringen.

31,17 *Quine in* Word and Object*:* Siehe Quine 1960, S. 44 (engl.) bzw. S. 97 f. (dt.).

31,18 *Schrödinger:* Erwin Schrödinger (1887–1961), österreichischer Physiker, der 1933 für seine Arbeit zu den Grundlagen der Quantenmechanik und für die nach ihm benannte Schrödingergleichung zusammen mit dem Briten Paul Dirac (1902–1984) mit dem Nobelpreis für Physik ausgezeichnet wurde.

31,24 *dass Gaurisanker Everest ist:* Diese Annahme beruht auf einer Verwechslung des deutschen Himalayaforschers Hermann von Schlagintweit. Vor allem in Deutschland wurde Mitte des 19. Jahrhunderts der höchste Berg der Welt, der Mount Everest, als Gaurisanker (auch Gauri Sankar) bezeichnet. Schlagintweit erkundigte sich bei den Einheimischen nach dem Namen des höchsten Berges. Diese antworteten ihm »Gauri Sankar«, womit aber ein kleinerer Berg im Himalaya gemeint ist (7134 m) – nicht wissend, dass der zwischenzeitlich Peak XV genannte Mount Everest mit 8848 m der höchste Berg der Welt ist.

31,30 *echte Eigennamen:* Als »echte Eigennamen« akzeptiert Russell nur jene Ausdrücke, die einen bestimmten Gegenstand bezeichnen, darüber hinaus aber keinen beschreibenden semantischen Gehalt haben. Aus seiner Sicht erfüllt das, was wir alltagssprachlich »Eigennamen« nennen, dieses Kriterium nicht.

35,10 *Cartesischen Zweifel:* die von René Descartes (1596–1650) besonders in der ersten seiner 1641 erstmals erschienenen *Meditationen über die Erste Philosophie* (Descartes [1641] 2020, S. 54–71) an-
gewandte skeptische Methode, alles in Frage zu stellen, was nicht
absolut irrtumssicher ist.

39,13 f. *Körper-Geist-Problem:* Das Körper-Geist- oder Leib-Seele-
Problem fordert, eine Antwort auf die Frage zu finden, wie körperliche und geistige Eigenschaften und Zustände zusammenhängen.

43,1 *notwendig:* »notwendig« ist hier im Sinne von »notwendigerweise wahr« zu verstehen. Natürlich kann eine falsche Identitätsaussage auch notwendigerweise falsch sein. Die Identitätsaussage
»Hesperus ist Jupiter« etwa ist nicht nur falsch, sondern notwendigerweise falsch, wenn Kripke recht hat.

45,17 f. *Mann …, der Hadleyburg korrumpierte: Der Mann, der Hadleyburg korrumpierte* (*The Man That Corrupted Hadleyburg*) ist
eine Kurzgeschichte von Mark Twain (1835–1910) aus dem Jahr
1899, in der die vermeintlich unkorrumpierbaren Bewohner*innen der Stadt Hadleyburg einem Fremden zum Opfer fallen, der
sie durch seine Einflussnahme zu unehrlichem Verhalten treibt.

45,19 f. *Englisch:* Im Original »English«, daher wurde dies hier und
fortfolgend auch in der deutschen Übersetzung so übernommen.

49,4 *in jeder möglichen Welt:* Um Missverständnisse zu vermeiden,
wäre es an dieser Stelle vielleicht besser gewesen, davon zu sprechen, dass man den Bezeichner *in Bezug auf* jede mögliche Welt
oder Situation nutzt, in der der fragliche Gegenstand existiert, um
diesen Gegenstand zu bezeichnen.

49,20 *Richard Nixon:* 1913–1994, Mitglied der republikanischen Partei
und von 1969 bis 1974 der 37. Präsident der USA.

49,24 *SDS:* Kripke meint offenbar die linke Studierendenorganisation
Students for a Democratic Society, die sich in den 1960er Jahren
unter anderem für Gleichberechtigung und gegen den Vietnam-
krieg einsetzte.

53,1 *David Lewis:* David K. Lewis (1941–2001), bekannter US-amerikanischer Philosoph. Zu seinen wichtigsten Arbeiten zählen seine
Schriften zur Metaphysik möglicher Welten, zur Funktion kon-

trafaktischer Konditionalsätze, zum Begriff der Konvention und zur Kausalität.

53,3 f. *ABM-Vertrag:* Anti-Ballistic Missile Treaty, ein Rüstungskontrollvertrag, der 1972 zwischen den USA und der Sowjetunion abgeschlossen wurde und dazu dienen sollte, den Einsatz von Raketenabwehrsystemen zu beschränken.

53,25 *epistemologische:* Die Epistemologie oder Erkenntnistheorie ist ein Teilgebiet der theoretischen Philosophie und beschäftigt sich insbesondere mit dem Begriff des Wissens und der Frage, wie wir Wissen erlangen können.

55,6 *Carswell:* G. Harrold Carswell (1919–1992), US-amerikanischer Richter, der 1970 von Richard Nixon für den Obersten Gerichtshof (Supreme Court) der USA nominiert, aber vom Senat abgelehnt wurde.

55,15 *jenen von Carswell:* Natürlich dürfte in einer rein qualitativen Beschreibung einer kontrafaktischen Situation auch der Ausdruck »Carswell« nicht vorkommen. Stattdessen müssten die relevanten Eigenschaften genannt werden.

55,28 *Humphrey:* Hubert Humphrey (1911–1978), US-amerikanischer Politiker und von 1965 bis 1969 der 38. Vizepräsident der USA. 1968 wurde er von den Demokraten als Präsidentschaftskandidat nominiert, verlor die Wahl aber knapp gegen den Republikaner Nixon (vgl. Anm. zu 49,20).

61,28 *Donnellan:* Keith Donnellan (1931–2015), US-amerikanischer Philosoph, der für seine sprachphilosophischen Arbeiten zu Eigennamen und bestimmten Beschreibungen bekannt ist.

61,28 f. ›*attributiven‹ Gebrauch:* Donnellan (1966, S. 285) unterscheidet zwischen dem attributiven und dem referentiellen Gebrauch bestimmter Beschreibungen. Beim attributiven Gebrauch wird jener Gegenstand bezeichnet, auf den die Beschreibung zutrifft. Beim referentiellen Gebrauch wird jedoch jener Gegenstand bezeichnet, über den der*die Sprecher*in zu sprechen beabsichtigt, unabhängig davon, ob die Beschreibung auf den Gegenstand zutrifft.

65,31 *koextensiv:* Zwei Ausdrücke sind dann koextensiv (sie haben dieselbe Extension), wenn sie exakt denselben Gegenstand (bzw. dieselben Gegenstände) bezeichnen.

67,13 f. *Goldbach'sche Vermutung*: eine nach dem deutschen Mathematiker Christian Goldbach (1690–1764) benannte und bislang unbewiesene Aussage aus dem Bereich der Zahlentheorie, der zufolge jede gerade Zahl, die größer als 2 ist, die Summe zweier Primzahlen ist.

77,16 f. *Antezedens des Konditionals:* In einem Konditionalsatz der Form $P \supset Q$ (»Wenn P, dann Q«) nennt man P das Antezedens oder Vorderglied und Q das Konsequens oder Nachglied des Konditionals.

77,18 *Modus ponens:* Der Modus ponens ist eine logische Schlussfigur, die es ermöglicht, aus einer Aussage der Form P (z. B. »Der Einband dieses Buches ist orange«) und einem Konditionalsatz der Form $P \supset Q$ (z. B. »Wenn der Einband dieses Buches orange ist, dann ist der Einband dieses Buches farbig«) auf eine Aussage der Form Q (z. B. »Der Einband dieses Buches ist farbig«) zu schließen.

79,31 *Saxbe:* William B. Saxbe (1916–2010), US-amerikanischer Politiker, Generalstaatsanwalt und republikanischer Senator. 1970 verfasste Richard Nixon einen Brief an Saxbe, in dem er seine Nominierung von G. Harrold Carswell für den Obersten Gerichtshof der USA verteidigte.

81,6 *Identitäten:* Kripke meint hier Identitäts*aussagen* mit starren Bezeichnern links und rechts des Identitätszeichens.

89,14 *Catilina:* Lucius Sergius Catilina (108–62 v. Chr.), römischer Politiker, der nach einem Umsturzversuch von Cicero (vgl. Anm. zu 25,29) 63 v. Chr. wegen Verschwörung angeklagt wurde.

91,17 *Cassius:* Gaius Cassius Longinus (87/86–42 v. Chr), einer jener römischen Senatoren, die sich 44 v. Chr. gegen Gaius Julius Caesar (100–44 v. Chr.) verschworen und ihn ermordeten.

95,14 *Searle:* John Searle (* 1932), US-amerikanischer Philosoph, der für seine Arbeiten in der Philosophie des Geistes und der Sprachphilosophie bekannt ist. In seinem Aufsatz *Proper Names* (1958) vertritt er eine »Bündeltheorie« von Eigennamen, der zufolge nicht nur eine einzelne bestimmte Beschreibung, sondern ein ganzes Bündel von Beschreibungen zur Festlegung (bzw. Bestimmung) der Referenz dient.

107,14 *Bischof Butler:* Joseph Butler (1692–1752), englischer Theologe, Philosoph und Bischof der anglikanischen Kirche. Das Zitat stammt aus seinen *Fifteen Sermons Preached at the Rolls Chapel* (Butler [1729] 2017, S. 13).

107,28 *dabei:* Kripke meint hier eine Identitätsaussage wie jene, dass Schmerz dieser und jener Gehirnzustand ist.

109,18 *prima facie:* etwa ›auf den ersten Blick‹ oder ›dem ersten Anschein nach‹, ohne dabei zwingend vorauszusetzen, dass der erste Anschein letztlich trügt.

121,3 f. *Descartes' Argument für seinen Dualismus:* Das ursprüngliche Argument von Descartes findet sich in der sechsten seiner *Meditationen über die Erste Philosophie* (Descartes [1641] 2020, S. 200–251).

Literaturhinweise

Ausgewählte Schriften von Saul Kripke

A Completeness Theorem in Modal Logic. In: Journal of Symbolic Logic 24 (1959) H. 1. S. 1–14.

Semantical Analysis of Modal Logic I. Normal Modal Propositional Calculi [1963a]. In: Zeitschrift für mathematische Logik und Grundlagen der Mathematik 9 (1963) H. 5–6. S. 67–96.

Semantical Considerations on Modal Logic [1963b]. In: Acta Philosophica Fennica 16 (1963) S. 83–94.

Naming and Necessity. In: Donald Davidson / Gilbert Harman (Hrsg.): Semantics of Natural Language. Second Edition. Dordrecht/Boston 1972. S. 253–355.

[Buchfassung:] Naming and Necessity. Cambridge 1980. (Dt.: Name und Notwendigkeit. Übers. von Ursula Wolf. Frankfurt a. M. 1981.)

Wittgenstein on Rules and Private Language. Cambridge 1982.

Philosophical Troubles. Collected Papers. Bd. 1. New York 2011. (Dt. in Ausw.: Aufsätze aus »Philosophical Troubles«. Übers. von Uwe Voigt. Stuttgart 2017. [Reclams Universal-Bibliothek. 19181.])

Reference and Existence. The John Locke Lectures. New York 2013. (Dt.: Referenz und Existenz. Die John-Locke-Vorlesungen. Übers. von Uwe Voigt. Stuttgart 2014.)

Sekundärliteratur zu Kripkes Werk

Ahmed, Arif: Saul Kripke. Contemporary American Thinkers. London 2007.

Burgess, John P.: Kripke. Puzzles and Mysteries. Cambridge 2013.

Fitch, Gregory W.: Saul Kripke. Philosophy Now. Chesham 2004.

Noonan, Harold: Routledge Philosophy Guidebook to Kripke and Naming and Necessity. New York 2013.

Weitere Literatur

Barcan, Ruth C.: A Functional Calculus of First Order Based on Strict Implication. In: Journal of Symbolic Logic 11 (1946) H. 1. S. 1–16.
– The Identity of Individuals in a Strict Functional Calculus of Second Order. In: Journal of Symbolic Logic 12 (1947) H. 1. S. 12–15.
Boyd, Richard: Materialism Without Reduction. What Physicalism Does Not Entail. In: Ned Block (Hrsg.): Readings in the Philosophy of Psychology. Bd. 1. Cambridge 1980. S. 67–106. [Kritik an Kripkes modalem Argument gegen die Identitätstheorie.]
Burge, Tyler: Individualism and the Mental. In: Peter A. French / Theodore Edward Uehlig / Howard K. Wettstein (Hrsg.): Midwest Studies in Philosophy IV. Minneapolis 1979. S. 73–121.
– Individualism and Psychology. In: Philosophical Review 95 (1986) S. 3–45.
Burgess, John P.: On a Derivation of the Necessity of Identity. In: Synthese 191 (2014) S. 1567–85.
Butler, Joseph: Fifteen Sermons and Other Writings on Ethics [1729]. Hrsg. von David McNaughton. Oxford 2017.
Carnap, Rudolf: Überwindung der Metaphysik durch logische Analyse der Sprache. In: Erkenntnis 2 (1931) S. 219–241.
– Meaning and Necessity. A Study in Semantics and Modal Logic. Chicago 1947.
Chalmers, David J.: The Conscious Mind. In Search for a Fundamental Theory. New York 1996.
– Epistemic Two-Dimensional Semantics. In: Philosophical Studies 118 (2004) S. 153–226. [Ausführliche Einführung in die epistemische 2D-Semantik.]
– The Character of Consciousness. New York 2010.
Descartes, René: Meditationes de Prima Philosophia [1641] / Meditationen über die Erste Philosophie. Lat./Dt. Übers. von Andreas Schmidt. Mit einem Nachw. von Gregor Betz. Stuttgart 2020. [Reclams Universal-Bibliothek. 19500.]
Donnellan, Keith S.: Reference and Definite Descriptions. In: The Philosophical Review 75 (1966) H. 3. S. 281–304. [Unterscheidung zwischen dem attributiven und dem referentiellen Gebrauch einer bestimmten Beschreibung.]

Dutilh Novaes, Catarina: A Medieval Reformulation of the De Dicto / De Re Distinction. In: Libor Behounek (Hrsg.): Logica Yearbook 2003. Prag 2004. S. 111–124.

Fine, Kit: Essence and Modality. In: Philosophical Perspectives 8 (1994) S. 1–16. [Kritik an der modalen Interpretation wesentlicher Eigenschaften.]

Forrest, Peter: The Identity of Indiscernibles. In: Edward N. Zalta (Hrsg.): The Stanford Encyclopedia of Philosophy. Stanford 2010. URL: https://plato.stanford.edu/entries/identity-indiscernible/ (26.5.2021).

Frege, Gottlob: Über Sinn und Bedeutung. Hrsg. von Uwe Voigt. Stuttgart 2019. [Reclams Universal-Bibliothek. 19582; Freges Theorie der Bedeutung erschien erstmals in der Zeitschrift für Philosophie und philosophische Kritik 100 (1892) H. 1. S. 25–50.]

Green, Mitchell S.: Kripke, Saul Aaron. In: John R. Shook (Hrsg.): The Dictionary of Modern American Philosophers. Bd. 3. Bristol 2005. S. 1360–67.

Humphreys, Paul W. / Fetzner, James H. (Hrsg.): The New Theory of Reference. Kripke, Marcus, and Its Origins. Dordrecht 1998.

Jackson, Frank: From Metaphysics to Ethics. A Defense of Conceptual Analysis. New York 1998.

Kaplan, David: Demonstratives [1977]. In: Joseph Almog / John Perry / Howard Wettstein (Hrsg.): Themes from Kaplan. New York 1989. S. 481–563.

Krebs, Sebastian: Kripkes Metaphysik möglicher Welten. Berlin 2019.

Lau, Joe / Deutsch, Max: Externalism about Mental Content. In: Edward N. Zalta (Hrsg.): The Stanford Encyclopedia of Philosophy. Stanford 2014. URL: https://plato.stanford.edu/archives/fall2020/entries/content-externalism/ (26.5.2021).

Levine, Joseph: Materialism and Qualia. The Explanatory Gap. In: Pacific Philosophical Quarterly 64 (1983) S. 354–361. [Kripkes modales Argument gegen die Identitätstheorie als Argument für das Bestehen einer Erklärungslücke bei der Identitätstheorie.]

Lewis, Clarence Irving / Langford, Cooper Harold: Symbolic Logic. New York 1932.

Lewis, David K.: Mad Pain and Martian Pain. In: Ned Block (Hrsg.):

Readings in Philosophy of Psychology. Bd. 1. Cambridge 1980. [Kritik an Kripkes These, dass es sich bei »Schmerz« um einen starren Bezeichner handelt.]

– On the Plurality of Worlds. Oxford 1986. [Zentrale Schrift zum modalen Realismus.]

Limbeck-Lilienau, Christoph: Carnap's Encounter with Pragmatism. In: Richard Creath (Hrsg.): Rudolf Carnap and the Legacy of Logical Empiricism. Dordrecht 2012. S. 89–111.

McGinn, Colin: Charity, Interpretation, and Belief. In: Journal of Philosophy 74 (1977) H. 9. S. 521–535.

Mill, John Stuart: A System of Logic, Ratiocinative and Inductive. London 1843. [Vorläufer von Kripkes Theorie direkter Referenz.]

Nimtz, Christian: Zweidimensionale Semantik. In: Nikola Kompa (Hrsg.): Handbuch Sprachphilosophie. Stuttgart 2015. S. 299–308.

Place, Ullin T.: Is Consciousness a Brain Process? In: British Journal of Psychology 47 (1956) S. 44–50. [Eine der ersten Schriften zur Identitätstheorie in der Philosophie des Geistes.]

Putnam, Hilary: The Meaning of ›Meaning‹. In: H. P.: Mind, Language and Reality. Philosophical Papers. Bd. 2. Cambridge 1975. S. 215–271. [Zentrale Schrift zum semantischen Externalismus.]

Quine, Willard Van Orman: Two Dogmas of Empiricism. In: Philosophical Review 60 (1951) H. 1. S. 20–43. [Kritik am logischen Empirismus und der Unterscheidung zwischen analytischen und synthetischen Aussagen.]

– Three Grades of Modal Involvement [1953a]. In: The Ways of Paradox and Other Essays. New York 1966. S. 156–174. [Kritik an der Rede von Notwendigkeit de re.]

– Reference and Modality [1953b]. In: W. V. O. Q.: From A Logical Point of View. Second Edition. Cambridge 1980. S. 139–159. (Dt.: Referenz und Modalität. In: W. V. O. Q.: From a Logical Point of View / Von einem logischen Standpunkt aus. Drei ausgewählte Aufsätze. Engl./Dt. Übers. von Roland Bluhm. Hrsg. von Roland Bluhm und Christian Nimtz. Stuttgart 2011. S. 128–190. [Reclams Universal-Bibliothek. 18486.])

– Word and Object. Cambridge 1960. (Dt.: Wort und Gegenstand. Übers. von Joachim Schulte in Zus.arb. mit Dieter Birnbacher.

Stuttgart 1980. [Reclams Universal-Bibliothek. 9987.]) [Auseinandersetzung mit dem Verhältnis von Sprache und Welt, Kritik an Carnaps Bedeutungstheorie.]

Russell, Bertrand: On Denoting. In: Mind 14 (1905) H. 56. S. 479–493. [Klassischer Aufsatz zu Russells Theorie der Bedeutung.]

– Knowledge by Acquaintance and Knowledge by Description. In: Proceedings of the Aristotelian Society 11 (1910/11) S. 108–128.

Salmon, Nathan U.: Reference and Essence. Princeton 1981. [Ausführliche Analyse des Verhältnisses zwischen dem Essentialismus und der Theorie direkter Referenz.]

Searle, John R.: Proper Names. In: Mind 67 (1958) H. 266. S. 166–73. [Searles Clustertheorie der Bedeutung von Eigennamen.]

Smart, J. J. C.: Sensations and Brain Processes. In: The Philosophical Review 68 (1959) H. 2. S. 141–156.

Soames, Scott: Beyond Rigidity. The Unfinished Semantic Agenda of Naming and Necessity. New York 2002. [Ausführliche kritische Auseinandersetzung mit und Erweiterung von Kripkes Theorie direkter Referenz.]

– Reference and Description: The Case against Two-Dimensional Semantics. Princeton 2005. [Kritische Auseinandersetzung mit der zweidimensionalen Semantik.]

Stalnaker, Robert: Assertion. In: Syntax and Semantics 9 (1978) S. 315–332.

– On Considering a Possible World as Actual. In: Proceedings of the Aristotelian Society. Supplementary Volume 75 (2001) S. 141–156.

– Assertion Revisited. On the Interpretation of Two-Dimensional Modal Semantics. In: Philosophical Studies 118 (2004) S. 299–322.

Wiggins, David: Identity Statements. In: Ronald J. Butler (Hrsg.): Analytical Philosophy: Second Series. Oxford 1965. S. 40–71.

Wittgenstein, Ludwig: Tractatus logico-philosophicus. London 1922.

– Philosophical Investigations. Oxford 1953.

Wright, Crispin: The Conceivability of Naturalism. In: Tamar Szabó Gendler / John Hawthorne (Hrsg.): Conceivability and Possibility. New York 2002.

Nachwort

Kripkes Leben und Werk

Die Thesen, die Saul Aaron Kripke (* 1940) in seinem Aufsatz »Identity and Necessity« und dem Buch *Naming and Necessity* entwickelt, haben die analytische Philosophie des späten 20. Jahrhunderts maßgeblich mitgeprägt. Die Schriften schlagen eine Brücke zwischen verschiedenen Teildisziplinen der theoretischen Philosophie, wie es nur wenige Werke getan haben und tun. Ausgehend von Überlegungen zur Bedeutung von Eigennamen, deren Verhältnis zu bestimmten Beschreibungen und der Rolle von Eigennamen und Beschreibungen in Identitätsaussagen (ein Thema der Sprachphilosophie) spannt Kripke den Bogen über Fragen zum Verhältnis von Identität und Notwendigkeit in der Metaphysik hin zu einem bis heute einflussreichen Argument gegen die Identitätstheorie in der Philosophie des Geistes. Neben seinen Arbeiten zur Sprachphilosophie und Metaphysik hat Kripke aber auch maßgeblich zur Entwicklung der modernen Modallogik beigetragen, in der die nicht nur von ihm entwickelte, sondern auch nach ihm benannte Kripke-Semantik eine zentrale Rolle spielt.[1]

Der große Einfluss seiner Schriften ist allerdings nicht das einzig Ungewöhnliche an seinem Lebenslauf.[2] Er wird

---

1 Kripke 1959; 1963a; 1963b.
2 Die Daten sind entnommen aus Shook 2005, S. 1360 f. und Saul Kripkes Lebenslauf, bereitgestellt vom Saul Kripke Center, URL: http://saulkripkecenter.org/wp-content/uploads/2019/01/Kripke-CV-2019-Short.pdf (26. 5. 2021).

am 13. November 1940 in Bay Shore, Long Island im US-amerikanischen Bundesstaat New York als Sohn der Autorin Dorothy K. Kripke (1912–2000) und des Universitätslehrers und Rabbiners Myer S. Kripke (1914–2014) geboren. Schon in seiner Kindheit zeigt er ein außergewöhnliches Talent für Mathematik und wird deshalb als »Wunderkind« bezeichnet. Als Teenager beginnt er, sich mit Philosophie zu beschäftigen, und 1959, im Alter von nur 18 Jahren, veröffentlicht er seinen ersten akademischen Aufsatz, »A Completeness Theorem in Modal Logic«, in dem er einen Beweis für die Vollständigkeit des wichtigen modallogischen Systems S5 führt. Er studiert Mathematik an der renommierten Harvard University und schließt 1962 den Bachelor-Studiengang mit dem akademischen Grad »B. A.« (Bachelor of Arts) ab. Dies bleibt auch der einzige akademische Grad, den Kripke erwirbt – abgesehen von insgesamt fünf Ehrendoktortiteln.

Bereits vor seinem Abschluss lehrt er 1961 an der Yale University und 1961/62 am MIT (Massachusetts Institute of Technology). Von 1963 bis 1966 arbeitet er als Junior Fellow an der Harvard University und ab 1964 parallel als Assistant Professor in Princeton, bevor er von 1966 bis 1968 noch einmal ganz an seine Alma Mater Harvard zurückkehrt. 1968 wechselt er an die Rockefeller University, wo er eine Stelle als Associate Professor für Philosophie antritt. Vier Jahre danach wird er dort auf einen Lehrstuhl als ordentlicher Professor berufen. 1977 folgt Kripke einem Ruf als McCosh Professor of Philosophy nach Princeton, wo er bis 1998 tätig sein wird. Schon seit 1970 ist Kripke immer wieder vor allem an US-amerikanischen und europäischen Universitäten als Gastprofessor tätig, und auch nach seiner Emeri-

tierung bleibt er als Gastprofessor aktiv, unter anderem an der Hebrew University in Jerusalem und am Graduate Center der City University of New York, wo er seit 2003 wieder eine ordentliche Professur innehat. 2007 wird dort das Saul Kripke Center gegründet, das es sich zur Aufgabe gemacht hat, Kripkes Lebenswerk zu archivieren und öffentlich zugänglich zu machen. Dazu gehören neben seinen Schriften und seiner akademischen Korrespondenz insbesondere auch Aufzeichnungen von Vorträgen, Vorlesungen und Seminaren, auf denen viele seiner bisher veröffentlichten Schriften basieren. Ein großer Teil von Kripkes Œuvre liegt allerdings nur in Form von Tonbandkassetten vor und harrt noch der Veröffentlichung, was die Zugänglichkeit seines Werks für die Kripke-Forschung nicht gerade vereinfacht.[3]

Neben der 1972 erstmals erschienenen Schrift *Naming and Necessity*[4], die auf einem Transkript dreier Vorlesungen in Princeton aus dem Jahr 1970 basiert und 1980 erstmals in Buchform erscheint, liegen bisher drei weitere veröffentlichte Bücher von Kripke vor. 1982 erscheint das Buch *Wittgenstein on Rules and Private Language*[5], in dem Kripke eine Interpretation einiger Überlegungen aus Ludwig Wittgensteins (1889–1951) zweitem Hauptwerk, den postum veröffentlichten *Philosophical Investigations*[6], vorstellt. Da die in Kripkes Buch entwickelte Position wohl weder von Wittgenstein noch von Kripke vertreten wird, hat sich in der Literatur eingebürgert, die Position einer fiktionalen Person mit dem Namen »Kripkenstein« zuzuschreiben.

3 Krebs 2019, S. 3 f.
4 Kripke 1972.
5 Kripke 1982.
6 Wittgenstein 1953.

Erst knapp drei Jahrzehnte später, im Jahr 2011, erscheint der Sammelband *Philosophical Troubles*[7], der neben älteren Aufsätzen, wie auch dem hier vorliegenden Aufsatz »Identity and Necessity« aus dem Jahr 1971, einige bis dahin unveröffentlichte philosophische Aufsätze enthält. 2013 folgt dann mit *Reference and Existence*[8] das bisher letzte Buch. Es basiert auf einem Transskript von Kripkes sechs »John Locke Lectures« an der Oxford University aus dem Jahr 1973 und wendet die Ideen aus *Naming and Necessity* und »Identity and Necessity« insbesondere auf Aussagen zu fiktionalen Gegenständen an. Daneben liegen von ihm mehr als 40 in wissenschaftlichen Fachzeitschriften und Sammelbänden veröffentlichte Aufsätze vor, insbesondere zu Themen der Logik, Sprachphilosophie und Metaphysik.

Saul Kripke, einer der wichtigsten und einflussreichsten lebenden analytischen Philosophen, wurde 2001 von der Schwedischen Akademie der Wissenschaften mit dem Rolf-Schock-Preis für Philosophie ausgezeichnet, der als der Nobelpreis der Philosophie gilt.

Zum Hintergrund

Notwendigkeit, Apriorität und die Metaphysik

Kripke beginnt seinen Aufsatz mit einem Verweis auf Immanuel Kant (1724–1804), der in seiner *Kritik der reinen Vernunft* für die These argumentiert, dass es synthetische

7 Kripke 2011.
8 Kripke 2013.

Aussagen *a priori* gibt. Das bedeutet, dass die Klasse der Aussagen, von denen man *a priori*, also ohne Zuhilfenahme von empirischen Beobachtungen, wissen (bzw. rechtfertigen) kann, dass sie wahr sind, nicht mit der Klasse der *analytischen* Aussagen, also jener Aussagen, deren Wahrheit sich rein aus den begrifflichen Zusammenhängen der in der Aussage vorkommenden Ausdrücke ergibt, übereinstimmt. Ob analytische Aussagen wahr sind, kann man ausnahmslos *a priori* wissen, sofern man mit den entsprechenden Begriffen vertraut ist. Um etwa zu wissen, dass Junggesellen unverheiratet sind, muss man keine empirischen Beobachtungen anstellen und die Akten der Standesämter durchforsten, um herauszufinden, ob es unter jenen, die geheiratet haben, irgendwelche Personen gibt, die Junggesellen sind. Man kann sich die Mühe getrost sparen, da man sich dieses Wissen auch buchstäblich im Lehnstuhl sitzend aneignen kann, indem man darüber nachdenkt, was die in der Aussage vorkommenden Ausdrücke bedeuten. Schließlich folgt aus der Definition des Ausdrucks »Junggeselle« unmittelbar, dass Junggesellen unverheiratet sind. Umgekehrt ist aber Kant zufolge nicht jede Aussage, deren Wahrheit man *a priori* wissen kann, auch eine analytische Aussage. Von den meisten *synthetischen* Aussagen, also jenen Aussagen, deren Wahrheit sich eben nicht unmittelbar aus den begrifflichen Zusammenhängen der in der Aussage vorkommenden Ausdrücke ergibt, kann man nur *a posteriori*, also unter Zuhilfenahme von empirischen Beobachtungen, wissen, dass sie wahr sind. Die meisten Identitätsaussagen (»Hesperus ist Phosphorus«, »Cicero ist identisch mit Tullius«, aber auch »der erste Postminister der vereinigten Staaten = [ist] der Erfinder der Zweistärken-

brille«), die Kripke diskutiert, gelten als klare Beispiele für solche Aussagen.

Kant zufolge gibt es aber auch synthetische Aussagen, die *a priori* gewusst werden können. Auch dafür gibt es unter den von Kripke besprochenen Beispielen einen Fall: »Die Quadratwurzel von 25 = [ist] 5.« Aus Sicht von Kant ergibt sich die Wahrheit dieser Aussage nicht unmittelbar aus begrifflichen Zusammenhängen, dennoch können wir *a priori* wissen, dass die Aussage wahr ist. In der analytischen Tradition, der auch Kripke angehört, wird Kants vermeintliches Beispiel für eine synthetische Aussage *a priori* auf der Basis von Überlegungen von Frege und Carnap allerdings als eine analytische Aussage aufgefasst.

Kripke ist in seinem Aufsatz nicht an der Frage nach der Möglichkeit synthetischer Aussagen *a priori* interessiert. Stattdessen hat er eher methodisch-strukturelle Gründe dafür, sich auf Kant zu beziehen. Beide nehmen eine Trennung zwischen zwei Begriffspaaren vor, die aus Sicht ihrer Gegner*innen nicht trennbar sind. Kant spricht sich gegen die These aus, dass die Klasse der analytischen Aussagen mit der Klasse der Aussagen, die *a priori* gewusst werden können, und jene der synthetischen Aussagen mit der Klasse der Aussagen, die nur *a posteriori* gewusst werden können, jeweils genau zusammenfällt. Analog dazu spricht Kripke sich gegen die These aus, dass die Klasse der Aussagen, die *a priori* gewusst werden können, mit der Klasse der notwendig wahren Aussagen und die Klasse der Aussagen, die nur *a posteriori* gewusst werden können, mit der Klasse der kontingent wahren Aussagen jeweils genau zusammenfällt.

Methodisch-strukturell betrachtet besteht also eine Ge-

meinsamkeit zwischen Kant und Kripke. Der Sache nach haben Kant und Kripke aber einander gegenläufige Auffassungen. In Bezug auf das Verhältnis von Apriorität und Notwendigkeit vertritt Kant die These, dass Notwendigkeit und Apriorität ausnahmslos zusammenfallen. Auch in der Mitte des 20. Jahrhunderts ist diese Auffassung weit verbreitet, allerdings geht dies weniger auf Kant als auf Rudolf Carnap (1891–1970)[9] zurück, der den Ausdruck »ist notwendig« als gleichbedeutend mit »ist analytisch« interpretiert. Auch Willard Van Orman Quine (1908–2000), einer der zentralen Protagonisten in der Debatte, um die sich Kripkes Aufsatz dreht, hält dies für die einzige auch nur halbwegs plausible Auffassung von Notwendigkeit[10], und selbst das erfordert, über die generellen Bedenken hinwegzusehen, die Quine in *Two Dogmas of Empiricism*[11] bezüglich der Unterscheidung zwischen analytischen und synthetischen Aussagen entwickelt. Der Begriff der Notwendigkeit ist nach einer solchen Interpretation ausschließlich auf Aussagen anzuwenden, denn schließlich können nur Aussagen analytisch sein. Von einem Gegenstand zu behaupten, er habe notwendige Eigenschaften, liefe demzufolge auf einen Kategorienfehler hinaus.

Dieses Verständnis von Notwendigkeit hängt eng mit einer äußerst kritischen Haltung gegenüber der Metaphysik zusammen, die das philosophische Milieu der 1960er und frühen 1970er Jahre prägt, in dem die in »Identity and Necessity« und seinem »großen Bruder« *Naming and Necessity* diskutierten Thesen entstehen. Ausgehend von

9 Carnap 1947, S. 7.
10 Quine 1953a; 1953b.
11 Quine 1951.

Ludwig Wittgensteins während des Ersten Weltkrieges verfassten Frühwerk, dem *Tractatus logico-philosophicus*[12], findet sich diese Haltung insbesondere unter den Mitgliedern des Wiener Kreises rund um Moritz Schlick (1882–1936) während der 1920er und 1930er Jahre. So schreibt etwa Carnap als einer der Hauptvertreter des sogenannten »logischen Positivismus« des Wiener Kreises:

> Auf dem Gebiet der *Metaphysik* (einschließlich aller Wertphilosophie und Normwissenschaft) führt die logische Analyse zu dem negativen Ergebnis, daß *die vorgeblichen Sätze dieses Gebietes gänzlich sinnlos sind*. Damit ist die radikale Überwindung der Metaphysik erreicht, die von früheren antimetaphysischen Standpunkten aus noch nicht möglich war.[13]

Carnap zufolge sind metaphysische Aussagen nicht lediglich unnütz oder falsch, sondern er spricht ihnen den Satzstatus gänzlich ab – deshalb spricht er auch von »vorgeblichen« Sätzen. »Sätze« der Metaphysik sind aus seiner Sicht gar keine richtigen Sätze, sondern Scheinsätze. Genuine Sätze teilen sich auf zwei Arten auf, nämlich in Sätze, die nichts über die Wirklichkeit aussagen, sondern bloß aufgrund ihrer Form wahr oder falsch sind und deren Wahrheitswert daher auch *a priori* einsehbar ist (laut Carnap ungefähr das, was Kant »analytische Urteile« nennt) und in Erfahrungssätze, die sich nur *a posteriori*, also durch empirische Beobachtung, bestätigen oder widerlegen lassen und somit zum Gegenstandsbereich der empirischen Wissen-

12 Wittgenstein 1922.
13 Carnap 1931, S. 220.

schaften gehören.[14] Aufgabe der »wissenschaftlichen Philosophie«, die sich von der Metaphysik abzugrenzen versucht, ist die Anwendung der Methode der »logischen Analyse« der Wissenschaftssprache, die »zur Klärung der sinnvollen Begriffe und Sätze, zur logischen Grundlegung der Realwissenschaft und der Mathematik«[15] dient.

Quine besucht im Winter 1932/33 Vorlesungen bei Schlick in Wien und bei Carnap in Prag. Nach seiner Rückkehr an die Harvard University macht er sein Fachkollegium mit Carnaps Arbeit vertraut und unterstützt damit Letzteren bei seiner Einwanderung in die USA 1936.[16] Genau wie Carnap ist Quine als strenger Empirist gegenüber der Metaphysik im hier relevanten Sinne äußerst kritisch eingestellt und hält an der These fest, dass Notwendigkeit, Apriorität und Analytizität fest zusammengehören, wie in späteren Abschnitten noch deutlicher werden wird, wenn es ausführlicher um Quines Haltung gegenüber Notwendigkeit und der Annahme von wesentlichen Eigenschaften eines Gegenstands geht.

Die Beschreibungstheorie von Eigennamen und Kripkes Alternative

Neben der in der analytisch geprägten Philosophie zur Zeit der Entstehung von Kripkes Arbeit weit verbreiteten metaphysikkritischen Haltung spielt eine sprachphilosophische Theorie zur Funktion von Eigennamen eine zentrale Rolle:

14 Ebd., S. 236.
15 Ebd., S. 237.
16 Limbeck-Lilienau 2012, S. 95.

die Beschreibungstheorie von Eigennamen, die in verschiedenen Ausprägungen von Gottlob Frege (1848–1925)[17] und Bertrand Russell (1872–1970)[18] entwickelt und später von John Searle (* 1932)[19] erweitert wird. Auch diese Theorie wird in den relevanten philosophischen Kreisen von vielen vertreten.

Die Beschreibungstheorie liefert eine Antwort darauf, wie es zustande kommt, dass Namen jene Gegenstände bezeichnen, die sie bezeichnen; wie also die Referenz von Namen zustande kommt. Gemäß der Beschreibungstheorie sind bestimmte Beschreibungen[20], also Beschreibungen, die auf genau einen Gegenstand zutreffen[21], Teil des semantischen Gehalts von Eigennamen, und sie bestimmen auch, welchen Gegenstand der Name bezeichnet. Damit ein Eigenname in einem konkreten Äußerungskontext referiert, also einen bestimmten Gegenstand bezeichnet, muss, so Frege und Russell, die Person, die die Äußerung tätigt, den Namen mit einer bestimmten Beschreibung assoziieren, die tatsächlich auf genau einen Gegenstand zu-

17 Frege 1892.
18 Russell 1905.
19 Searle 1958.
20 Ich verwende hier durchgängig den Ausdruck »bestimmte Beschreibungen«. In der Literatur werden aber auch die Ausdrücke »definite Beschreibungen« oder »singuläre Kennzeichnungen« gleichbedeutend benutzt.
21 Zumindest müssen sie ihrer Form nach diesen Anschein erwecken. Die Beschreibung »der erste Postminister der Vereinigten Staaten« trifft auf genau eine Person zu: Benjamin Franklin. Die Beschreibung »der 2020 regierende König von Frankreich« trifft auf keine Person zu. Dennoch handelt es sich zumindest der Form nach (»*der/die/das* ...«) um eine bestimmte Beschreibung.

trifft. Im konkreten Äußerungskontext wird der Name als synonym zu dieser bestimmten Beschreibung aufgefasst. Welche bestimmte Beschreibung letztlich mit dem Namen assoziiert wird, kann zwar von Person zu Person variieren, doch in jedem Fall bestimmt (»determining the reference«) der beschreibende Teil des semantischen Gehalts des Namens (die *Intension*, der »Sinn« bei Frege), ob überhaupt ein Gegenstand von dem Namen bezeichnet wird, und wenn ja, welcher (die *Extension*, die »Bedeutung« bei Frege).

Der Beschreibungstheorie steht eine Position gegenüber, die auf John Stuart Mill (1806–1873) zurückgeht[22] und später auch von Ruth Barcan Marcus (1921–2012) und Saul Kripke wieder aufgegriffen und weiterentwickelt wird. Kripke entwickelt seine Position ausführlich in *Naming and Necessity*, sie spielt aber auch im Aufsatz »Identity and Necessity« eine maßgebliche Rolle. Kripke zufolge erschöpft sich der semantische Gehalt eines Namens in der Extension. Namen referieren *direkt*, ohne den Umweg über eine Beschreibung – wie Etiketten, die einem Gegenstand angeheftet werden. Daher wird diese Theorie des semantischen Gehalts von Eigennamen auch die Theorie *direkter Referenz* (»direct reference theory«) genannt.

Wenn Namen direkt referieren, die Referenz also nicht innerhalb der Semantik über einen beschreibenden Gehalt bestimmt wird, bleibt jedoch offen, wie die Referenz letztlich zustande kommt. Kripke stellt eine Lösung vor[23], die

22 Mill 1843.
23 Kripke wird oft als der Urheber der kausalen Theorie der Referenz verstanden. Quentin Smith (1952–2020) argumentiert jedoch 1994 bei einer Konferenz der *American Philosophical Association* dafür, dass die Urheberschaft dieses Ansatzes vielmehr

heute als die *kausale* (manchmal auch *kausal-historische*) Theorie der Bestimmung der Referenz bekannt ist. Dieser Theorie zufolge wird die Referenz eines Namens durch eine Kausalkette bestimmt, die von der erstmaligen Verwendung des Namens in einem ursprünglichen Taufakt bis zu der Verwendung des Namens im konkreten Äußerungskontext reicht. Es findet also ein Taufakt statt, durch den ein bestimmter Gegenstand einen Namen bekommt. Einige Personen verwenden den Namen mit der Absicht, den in dem Taufakt getauften Gegenstand zu bezeichnen. Andere wiederum verwenden den Namen mit der Absicht, jenen Gegenstand zu bezeichnen, den erstere Personen bezeichnen wollten. So wird der Name von Person zu Person weitergegeben, und es entsteht eine immer länger werdende Kausalkette, die bis zum ursprünglichen Taufakt zurückreicht und die Referenz sicherstellt.[24]

Beschreibungen spielen Kripke zufolge, wenn überhaupt, nur bei der Referenzfestlegung (»fixing the reference«) im Zuge des Taufakts eine Rolle. In Fällen, wo eine einfache Zeigegeste nicht ausreicht, um festzulegen, welcher Gegenstand getauft werden soll, können Beschreibungen dabei helfen, festzulegen, welcher Gegenstand den Namen tragen soll. Doch diese Art der Referenzfestlegung mittels bestimmter Beschreibungen hat nichts mit der Bestim-

Ruth Barcan Marcus zukommt. Scott Soames (* 1945) und John Burgess (* 1948) wiederum vertreten die Auffassung, dass Smith die Rolle von Barcan Marcus überschätzt. Interessierte Leser*innen sollten sich die Auseinandersetzung zwischen Smith, Soames und Burgess, gesammelt in Humphreys und Fetzner (1998), ansehen und sich selbst ein Bild machen.
24 Kripke 1980, S. 96.

mung der Referenz durch einen beschreibenden semantischen Gehalt des Namens zu tun. Sobald der Taufakt vollzogen ist, bezeichnet der Name den Gegenstand direkt, und Beschreibungen spielen keine Rolle mehr.

Für die Beschreibungstheorie spricht, dass sich damit einige philosophische Probleme lösen lassen, von denen zumindest nicht offensichtlich ist, wie eine Theorie direkter Referenz diese lösen könnte. So erläutert Frege in *Über Sinn und Bedeutung*[25], dass sich anhand der Beschreibungstheorie ein wichtiger Unterschied zwischen Aussagen wie »Hesperus ist Phosphorus« und »Hesperus ist Hesperus« über den semantischen Gehalt der Ausdrücke erklären lässt: Erstere Aussage ist informativ (kognitiv signifikant), letztere jedoch nicht. An dem bezeichneten Gegenstand lässt sich der Unterschied nicht festmachen, denn schließlich bezeichnet sowohl »Hesperus« als auch »Phosphorus« die Venus. Wenn man aber einen zusätzlichen beschreibenden Anteil des semantischen Gehalts der Namen annimmt (Freges »Sinn«), der für »Hesperus« und »Phosphorus« jeweils verschieden ist, etwa »der Himmelskörper, der am Abend an dieser und jener Stelle zu sehen ist« und »der Himmelskörper, der am Morgen an dieser und jener Stelle zu sehen ist«, so kann dieser semantische Unterschied auch den Unterschied in der Informativität der Identitätsaussagen erklären.

Ein anderes Problem, für das die Beschreibungstheorie eine Lösung liefert, besteht in der Bedeutung von Ausdrücken für Gegenstände, die nicht existieren. Unter der Voraussetzung, dass die Extension eines solchen Ausdrucks

25 Frege [1892] 2019, S. 25–28.

»leer« ist, also kein Gegenstand existiert, den der Ausdruck bezeichnet, stellt sich die Frage, was von der Bedeutung des Ausdrucks noch übrigbleibt. Gemäß der Beschreibungstheorie bleibt in solchen Fällen immerhin der beschreibende intensionale Gehalt des Ausdrucks bestehen. So bezeichnet der Ausdruck »Santa Claus« zwar keinen Gegenstand, hat also keine Extension. Die Intension in Form einer Beschreibung wie »der alte Mann mit weißem Rauschebart und roter Mütze, der den Kindern mit einem fliegenden, von Rentieren gezogenen Schlitten zu Weihnachten Geschenke bringt« und damit auch ein Aspekt der Bedeutung des Ausdrucks bleibt dennoch erhalten.

Für diese Probleme liefert die Theorie direkter Referenz keine offensichtliche Lösung. Kripke präsentiert allerdings in *Naming and Necessity* drei zentrale Argumente gegen die Beschreibungstheorie, die zeigen sollen, dass die Beschreibungstheorie in vielen Fällen entweder keinen oder den intuitiv falschen Gegenstand als den von dem Namen bezeichneten Gegenstand ausweist.

Drei Argumente gegen die Beschreibungstheorie:
semantisch, epistemisch, modal

Das *semantische Argument*[26] weist auf den Umstand hin, dass wir in vielen Fällen gar keine bestimmte Beschreibung angeben können, die wir mit einem Namen assoziieren. Zu Kripkes Beispielen gehören die Namen »Cicero« und »Richard Feynman«. Die meisten wissen vielleicht, dass

26 Kripke 1980, S. 78–85.

Cicero (106–43 v. Chr.) ein einflussreicher Römer war. Einige wissen wohl auch, dass Richard Feynman (1918–1988) einen Nobelpreis für Physik gewonnen hat. Keine der beiden Beschreibungen trifft aber auf genau eine Person zu, und eine alternative Beschreibung, die genau auf eine Person zutrifft, scheinen die meisten nicht zu kennen. Und selbst wenn jemand eine Beschreibung kennen sollte, die genau auf eine Person zutrifft, muss es nicht immer der Fall sein, dass die Beschreibung, die mit einem Namen assoziiert wird, auf den*die Träger*in des Namens tatsächlich zutrifft – was dann zum intuitiv falschen Ergebnis führt. Kripke führt als Beispiel Albert Einstein (1879–1955) an, den einige für den Erfinder der Atombombe hielten. Die bestimmte Beschreibung »der Erfinder der Atombombe« trifft aber nicht auf Einstein, sondern bestenfalls auf Robert Oppenheimer (1904–1967) zu. Dennoch ist es Kripke zufolge wenig plausibel, dass der Name »Albert Einstein« aus dem Munde einer Person, die den Namen mit der Beschreibung »der Erfinder der Atombombe« assoziiert, eigentlich Robert Oppenheimer bezeichnet, denn schließlich behauptet eine solche Person, wenn sie behauptet, dass Albert Einstein die Atombombe erfunden hat, intuitiv etwas Falsches über Einstein, und nicht etwas Wahres über Oppenheimer.

Das *epistemische Argument*[27] liefert einen weiteren Grund dafür, die Beschreibungstheorie für falsch zu halten. Unter der Voraussetzung, dass der Name »Aristoteles« synonym zu der bestimmten Beschreibung »der Lehrer Alexanders des Großen« wäre, wäre der Satz »Aristoteles ist

27 Ebd., S. 86 f.

der Lehrer Alexanders des Großen« eine analytische Aussage, und damit etwas, das wir grundsätzlich *a priori* wissen können. Wenn überhaupt, kann das aber bestenfalls jene Person *a priori* wissen, die die Beschreibung während des ursprünglichen Taufaktes zur Referenzfestlegung benutzt.

Das *modale Argument*[28] schließlich basiert auf der Überlegung, dass jener Satz, sollten die Vertreter*innen der Beschreibungstheorie Recht haben, als analytische Aussage nicht nur *a priori* einsehbar, sondern auch notwendig wahr wäre. Intuitiv handelt es sich bei »Aristoteles ist der Lehrer Alexanders des Großen« aber um eine kontingente Aussage. Außerdem würden wir eine kontrafaktische Situation, in der jemand anderer als jener Mann, der tatsächlich der Lehrer Alexanders ist, Alexander gelehrt hätte, nicht als eine Situation beschreiben, in der weiterhin Aristoteles der Lehrer Alexanders ist. Aus Kripkes Sicht würden wir eine solche Situation vielmehr als eine beschreiben, in der nicht Aristoteles, sondern jemand anderer Lehrer Alexanders gewesen wäre. Der Name »Aristoteles« kann also nicht synonym zu »der Lehrer Alexanders des Großen« sein, und Ähnliches lässt sich für andere Beschreibungen sagen, die als Alternative in Frage kommen. Stattdessen bezeichnet der Name »Aristoteles« Kripke zufolge in jeder kontrafaktischen Situation genau denselben Mann: Aristoteles. Es handelt sich bei Namen also nicht um verkappte Beschreibungen, sondern um das, was Kripke »starre Bezeichner« (»rigid designators«) nennt.

28 Ebd., S. 71–77.

Zum Aufsatz »Identity and Necessity«

Kontingente Identitätsaussagen und die Notwendigkeit der Selbst-Identität

Kripke beginnt seine Ausführungen im Aufsatz »Identity and Necessity« mit der Frage nach der Möglichkeit kontingenter Identitätsaussagen, d. h. Identitätsaussagen, die zwar wahr sind, aber auch hätten falsch sein können. Diese Frage beschäftigt in den Jahrzehnten vor Kripkes Aufsatz bereits einige andere Größen der analytischen Philosophie, etwa Ruth Barcan Marcus und Willard Van Orman Quine. Eine vermeintliche Schwierigkeit für die Idee kontingenter Identitätsaussagen stellt Kripke mit Hilfe eines recht einfachen modalen Arguments dar, dessen genauer historischer Ursprung nicht ganz klar ist. Kripke bezieht sich zwar auf David Wiggins (* 1933)[29], John Burgess' Nachforschungen[30] legen aber nahe, dass das Argument in dieser Form wahrscheinlich auf Quine zurückgeht, der es in seinem Aufsatz »Three Grades of Modal Involvement«[31] bespricht. Quine diente auch als Gutachter für einen Aufsatz von Barcan Marcus, in dem sich bereits einige Jahre früher ein Argument für dieselbe Konklusion findet[32], das aber von anderen Annahmen ausgeht und etwas komplexer ist als das von Kripke und Quine Besprochene.

Sehen wir uns das Argument genauer an. Es beginnt mit der Annahme des intuitiv recht plausiblen metaphysischen

---

29 Wiggins 1965.
30 Burgess 2014, S. 1568–72.
31 Quine 1953a, S. 172 f.
32 Barcan 1947.

Prinzips (1), das als das Gesetz der *Substituierbarkeit des Identischen* bekannt ist:

(1) $\forall x \forall y \, [(x = y) \supset (Fx \supset Fy)]$

Dieses Prinzip besagt, dass für beliebige Gegenstände x und y gilt, dass aus deren Identität $(x = y)$, also dem Umstand, dass wir es mit ein- und demselben Gegenstand zu tun haben, folgt, dass alle Eigenschaften des Gegenstands x auch Eigenschaften des Gegenstands y sind. Es ist eng verwandt mit dem gleichermaßen einleuchtenden Prinzip der *Ununterscheidbarkeit des Identischen*, das zusammen mit seinem Gegenstück, dem wesentlich umstritteneren Prinzip der *Identität des Ununterscheidbaren*, manchmal auch kurz Leibniz' Gesetz (*Leibniz' law*) genannt wird, da beide Prinzipien Gottfried Wilhelm Leibniz (1646–1716) zugeschrieben werden.[33]

Die zweite Annahme, die Kripke trifft, bezieht sich auf (2), das Prinzip der Notwendigkeit der Identität eines Gegenstands mit sich selbst (kurz: das Prinzip der *Notwendigkeit der Selbst-Identität*), dem zufolge für jeden beliebigen Gegenstand x gilt, dass es notwendig ist, dass x mit sich selbst identisch ist, jeder beliebige Gegenstand also die Eigenschaft hat, mit sich selbst identisch zu sein:

---

33 Siehe Forrest 2010. Der Unterschied zum Prinzip der *Ununterscheidbarkeit des Identischen* liegt darin, dass bei Letzterem im Konsequens des Konditionals anstelle der einfachen materialen Implikation $(Fx \supset Fy)$ materiale Äquivalenz $(Fx \equiv Fy)$ gefordert wird, also sowohl $(Fx \supset Fy)$ als auch $(Fy \supset Fx)$. Für Kripkes Zwecke reicht die erste der beiden Richtungen jedoch völlig aus.

(2) $\forall x \, \Box (x = x)$

Das Symbol □ ist der Notwendigkeitsoperator. Durch Einsetzen des Prädikatschemas »□$(x = \ldots)$«, das man als »… ist notwendigerweise mit x identisch« lesen kann, für F in (1) erhält man nun (3):

(3) $\forall x \, \forall y \, (x = y) \supset [\Box(x = x) \supset \Box(x = y)]$

Es handelt sich bei (3) also um eine Substitutions- oder Einsetzungsinstanz von (1). Anders als man auf den ersten Blick vielleicht vermuten könnte, spielt (2) in der Herleitung von (3) keine Rolle, da es sich bei der Eigenschaft, notwendig mit x identisch zu sein, um eine andere Eigenschaft handelt als jene, notwendig mit sich selbst identisch zu sein.

Stattdessen wird (2) erst bei der Ableitung von (4) aus (2) und (3) relevant:

(4) $\forall x \, \forall y \, [(x = y) \supset \Box(x = y)]$

Diese Ableitung ist unproblematisch, sofern man sich auf die bisherigen Annahmen bereits eingelassen hat. Es handelt sich beim Schluss von (2) und (3) auf (4) schlicht um eine Substitutionsinstanz eines Theorems der klassischen Prädikatenlogik[34]. Nun soll – so Wiggins' Bedenken, auf das sich Kripke bezieht – dieses Resultat zeigen, dass kontingente Identitätsaussagen unmöglich sind, da gemäß (4) aus der bloß faktischen Identität von x und y folgt, dass die Identität von x und y notwendig ist.

34 Vgl. Burgess 2014, S. 1568, insb. Anm. 4.

Jene, die sich mit diesem Resultat nicht anfreunden können, könnten nun versuchen, eine der Annahmen (1) und
(2) anzuzweifeln. Kripke geht auf eine mögliche Kritik an
Annahme (2) ein, die sich darauf bezieht, dass (2) voraussetzt, dass Selbst-Identität auch in Bezug auf jene Situationen besteht, in denen der Gegenstand, über den wir sprechen, gar nicht existiert. Unter der Voraussetzung, dass wir
den Notwendigkeitsoperator so verstehen, dass wir ohne
Ausnahmen über alle möglichen Situationen reden, also
über alle Weisen, wie die Welt hätte sein können, bleiben
uns nur zwei Optionen. Eine besteht darin, zu akzeptieren,
dass alle Gegenstände notwendigerweise existieren, es also
gar keine möglichen Situationen (»Welten«) gibt, in denen
ein bestimmter Gegenstand, den es tatsächlich gibt, nicht
existiert. Gegen diese Option spricht, dass notwendige
Existenz intuitiv allenfalls für einige wenige Gegenstände
plausibel ist, wie etwa für Gottheiten oder für Zahlen. Die
andere Option besteht darin, zuzugestehen, dass Selbst-
Identität selbst dann besteht, wenn der betreffende Gegenstand gar nicht existiert. Auch wenn diese Option zumindest nicht die notwendige Existenz aller tatsächlich
existierenden Gegenstände erfordert, bleibt diese Lösung
dennoch unbefriedigend.

Einer solchen Kritik begegnet Kripke, indem er zuge-
steht, dass Notwendigkeit im Kontext seiner Ausführungen in einem eingeschränkten oder »schwachen« Sinne zu
verstehen sei. Aus seiner Sicht sollen von vornherein nur
jene Situationen berücksichtigt werden, in denen der betreffende Gegenstand existiert. Diese Einschränkung führt
nicht unmittelbar zu einer Auflösung von Wiggins' Bedenken, da sich das ursprüngliche Problem für die Kontingenz

von Identitätsaussagen, sofern es sich überhaupt stellt, auch dann noch stellt, wenn wir nur jene Situationen betrachten, in denen die entsprechenden Gegenstände existieren. Daher ist die Einschränkung in dieser Hinsicht unbedenklich. Außerdem kritisiert Kripke an anderer Stelle[35] Barcan Marcus' Herleitung von Annahme (2) mit Hilfe des sogenannten umgekehrten Barcan-Schemas[36] (»converse Barcan formula«) genau deshalb, weil dieses Schema die notwendige Existenz aller tatsächlich existierenden Gegenstände voraussetzt. Die von Kripke zugestandene Einschränkung nicht zu übernehmen, wäre also wenig konsequent. Anstatt eine alternative Begründung für (2) anzubieten, lässt Kripke das Prinzip in der abgeschwächten Form unbegründet.

Eine andere mögliche Kritik an Annahme (2), die Kripke anspricht, besteht darin, dass (2) voraussetzt, dass wir nicht nur über Modalität *de dicto* (lat. ›über das Gesagte‹), sondern auch über Modalität *de re* (lat. ›über die Sache‹) sinnvoll sprechen können. Diese Unterscheidung findet sich inhaltlich bereits in der Antike bei Aristoteles, explizit aber erst im Spätmittelalter, etwa bei Petrus Abaelardus (1079–1142) und Thomas von Aquin (1225–1274). Danach wird es bis ins frühe 20. Jahrhundert still um die Unterscheidung.[37]

---

35 Kripke 1963b, siehe auch Burgess 2014, S. 1573 f.
36 Das umgekehrte Barcan-Schema besagt, dass dann, wenn notwendigerweise gilt, dass jeder Gegenstand eine bestimmte Eigenschaft hat, jeder Gegenstand notwendigerweise diese Eigenschaft hat: $\Box \forall x\, \Phi x \supset \forall x\, \Box \Phi x$. Es ist die Umkehrung des ursprünglichen Barcan-Schemas: $\forall x\, \Box \Phi x \supset \Box \forall x\, \Phi x$ (Barcan 1946, S. 5).
37 Zur historischen Entwicklung der Unterscheidung zwischen Modalität *de dicto* und *de re* siehe Dutilh Novaes 2004.

Erst nach Einführung der modernen Modallogik durch Clarence Irving Lewis (1883–1964)[38] und deren Erweiterung zu einer quantifizierten Modallogik durch Barcan Marcus[39] nimmt die Debatte wieder Fahrt auf.

Kripke versteht Annahme (2) als eine modale Aussage *de re*. Das bedeutet, dass allen *Gegenständen* eine bestimmte modale Eigenschaft zugeschrieben wird, nämlich notwendig mit sich selbst identisch zu sein. Anders verhält es sich mit der ganz ähnlich aussehenden Formel $\Box \forall x \, (x = x)$: Hier steht der Modaloperator ganz vorne. Damit soll ausgedrückt werden, dass die *Aussage*, dass jeder Gegenstand selbst-identisch ist, notwendigerweise wahr ist. Hier haben wir es also mit einer modalen Aussage *de dicto* zu tun. Bei quantifizierten modalen Aussagen *de re* wie Annahme (2) steht der Modaloperator innerhalb des Anwendungsbereiches des Allquantors $\forall x$ (...). Es wird also, anders als bei der *de dicto*-Aussage $\Box \forall x \, (x = x)$, in der der Modaloperator vor dem Allquantor steht, in einen modalen Kontext »hineinquantifiziert«. Quine ist gegenüber der Quantifikation in modale Kontexte hinein äußerst skeptisch und hält die damit Hand in Hand gehende Rede von notwendigen Eigenschaften von Gegenständen bzw. modalen Aussagen *de re* für sinnlos:

> Insoweit wir rein bezeichnend von diesem Gegenstand sprechen, [...] ist es nicht einmal andeutungsweise sinnvoll, einige seiner Eigenschaften als notwendig und andere als kontingent einzustufen.[40]

38 Lewis/Langford 1932.
39 Barcan 1946.
40 Quine [1960] 1980, S. 344 f.; »Just insofar as we are talking refe-

Quines Skepsis rührt von seinem wohl von Carnap beeinflussten Anspruch her, dass für wissenschaftliche Aussagen ein *Extensionalitätsprinzip* gilt: Ihr Wahrheitswert darf von nichts anderem als der Extension der in ihnen vorkommenden Ausdrücke abhängen, d. h. davon, welche Gegenstände von den Ausdrücken bezeichnet werden. Aussagen, für die das nicht gilt, müssen entweder übersetzt oder überhaupt vermieden werden.

Ein Beispiel für eine Aussage, für die das Extensionalitätsprinzip offenbar nicht gilt, ist: »Peter glaubt, dass Graz die Hauptstadt der Steiermark ist.« Angenommen, diese Aussage sei wahr. Ersetzt man nun den Ausdruck »Graz« durch den koreferentiellen Ausdruck »die Stadt, in der Alexius Meinong ab 1889 als ordentlicher Professor wirkte«, erhält man aber nicht unbedingt einen wahren Satz. Unter der Annahme, dass Peter keine Ahnung davon hat, dass Alexius Meinong ab 1889 als ordentlicher Professor in Graz wirkte, erhält man eine falsche Aussage: »Peter glaubt, dass die Stadt, in der Alexius Meinong ab 1889 als ordentlicher Professor wirkte, die Hauptstadt der Steiermark ist.« Für viele Aussagen über mentale Zustände wie Überzeugungen gilt das Extensionalitätsprinzip also nicht, da Ausdrücke mit derselben Extension nicht *salva veritate*, also unter Erhaltung des Wahrheitswertes, durch einander ersetzt werden können.

Ähnliche Schwierigkeiten ergeben sich für modale Aussagen: So führt die Ersetzung des Ausdrucks »9« in der wahren Aussage »9 ist notwendigerweise größer als 7«

rentially of the object, [...] there is no semblance of sense in rating some of his attributes as necessary and others as contingent« (Quine 1960, S. 199).

durch den koreferentiellen Ausdruck »die Zahl der Planeten« zu der aus Quines Sicht falschen Aussage »Die Zahl der Planeten ist notwendigerweise größer als 7«.[41] In modalen Kontexten lassen sich koreferentielle Ausdrücke demzufolge nicht unbedingt *salva veritate* ersetzen. Außerdem landet man mit der Einführung von Modalität *de re* und der Zuschreibung notwendiger Eigenschaften auch unmittelbar bei der Idee *wesentlicher (essentieller)* Eigenschaften, zumindest dann, wenn man wie Kripke wesentliche mit notwendigen Eigenschaften gleichsetzt. Die Grundidee lautet, dass es bestimmte Eigenschaften gibt, ohne die der jeweilige Gegenstand nicht hätte existieren können; daher hat der Gegenstand diese Eigenschaften notwendigerweise. Ein solcher »Rückfall in den aristotelischen Essentialismus«[42] ist mit Quines streng empiristischer Grundhaltung aber nicht vereinbar.

Anders als Quine hat Kripke mit der Rede von Modalität *de re* und der damit einhergehenden metaphysischen Verpflichtung auf wesentliche Eigenschaften von Gegenständen kein Problem. Vielmehr, so Kripke, eröffnet uns die entsprechende Unterscheidung von Modalität *de dicto* und Modalität *de re* Zugang zu der Einsicht, dass es sich bei (4), genau wie bei (2), letztlich gar nicht um eine These über

41 Quine 1953a. Die Annahme der Koreferenz von »9« und »die Zahl der Planeten« lässt die Neudefinition des Ausdrucks »Planet« 2006 außer Acht, der zufolge die Zahl der Planeten in unserem Sonnensystem nicht 9, sondern 8 ist, weil Pluto die erweiterten Anforderungen der neuen Definition nicht erfüllt. Für unsere Zwecke ist dies aber belanglos.

42 Quine [1953b] 2011, S. 173; »reversion to Aristotelian essentialism« (Quine 1953b, S. 211).

Aussagen, sondern um eine These über Gegenstände handelt. Damit ist die Sorge, dass (4) bereits für sich genommen gegen die Möglichkeit kontingenter Identitäts*aussagen* spricht, aus Kripkes Sicht unbegründet. Vielmehr spricht (4) lediglich gegen die Möglichkeit kontingenter Identität von Gegenständen. Und das ist ein Resultat, das aus seiner Sicht eigentlich nicht weiter verwunderlich sein sollte.

Identitätsaussagen mit bestimmten Beschreibungen

Sollte Kripke mit dieser These Recht haben und somit (4) gar keine Behauptung über den modalen Status von Identitätsaussagen sein, bleibt die Frage, wie es um die Notwendigkeit von Identitätsaussagen steht, weiterhin offen. Sehen wir uns Kripkes Beispiel für eine kontingente Identitätsaussage genauer an:

Der erste Postminister der Vereinigten Staaten ist identisch mit dem Erfinder der Zweistärkenbrille.

Sowohl bei »der erste Postminister der Vereinigten Staaten« als auch bei »der Erfinder der Zweistärkenbrille« handelt es sich um Beschreibungen, die genau auf einen Gegenstand zutreffen, nämlich auf Benjamin Franklin (1706–1790). Es handelt sich demnach, soweit wir wissen, um eine wahre Identitätsaussage. Unter anderen Umständen hätte es aber genauso gut sein können, dass Franklin zwar die Zweistärkenbrille erfand, aber nicht der erste Postminister der Vereinigten Staaten wurde (oder umgekehrt). In die-

sem Fall wäre die Identitätsaussage falsch gewesen. Allem Anschein nach handelt es sich dabei also um eine kontingente Identitätsaussage. In Bezug auf den modalen Status dieser Aussage stimmt Kripke mit seinen Kontrahent*innen überein. Um zu erläutern, wie die Kontingenz der obigen Aussage mit der Notwendigkeit der Identität von Benjamin Franklin mit sich selbst in Einklang gebracht werden kann, macht Kripke sich die Analyse von bestimmten Beschreibungen und die Unterscheidung zwischen engem und weitem Skopus aus Bertrand Russells wegweisendem Aufsatz *On Denoting*[43] zunutze.

Russell zufolge lässt sich die logische Form von Identitätsaussagen auf die folgende Weise auffassen (siehe auch Kripkes Anm. 4, hier S. 20–23):

$$(\imath x Gx = \imath x Hx)$$

Der Ausdruck »$\imath x Gx$« kann hier als »derjenige Gegenstand, der die Eigenschaft G hat« gelesen werden. Der sogenannte »Jota-Operator« $\imath$ bindet hier die Variable x und ermöglicht uns eine kurze Schreibweise für die folgende logisch äquivalente Formel:

$$\exists x\, \exists y\, [(Gx \wedge \forall v\, (Gv \supset v = x)) \wedge (Hy \wedge \forall w\, (Hw \supset w = y)) \wedge (y = x)]$$

Dieser Analyse zufolge handelt es sich bei Identitätsaussagen wie der obigen eigentlich um quantifizierte Existenzaussagen. In Kripkes Beispielsatz steht G für die Eigen-

43 Russell 1905.

schaft, *erster Postminister der Vereinigten Staaten zu sein*, und H für die Eigenschaft, *die Zweistärkenbrille erfunden zu haben*. Wir haben es hier mit einer existenzquantifizierten Konjunktion mit drei Konjunktionsgliedern zu tun. Sehen wir uns das erste Konjunktionsglied näher an, das seinerseits die Form einer Konjunktion mit zwei Konjunktionsgliedern hat. Da »$\exists x\ Gx$« (»Es gibt mindestens ein x, für das gilt: x hat die Eigenschaft G«) für sich genommen vereinbar mit der Existenz von mehreren Gegenständen ist, die die Eigenschaft G haben, wird der Term »$\forall v\ (Gv \supset v = x)$« (»Für alle Gegenstände v gilt: Wenn v die Eigenschaft G hat, dann ist v identisch mit x«) ergänzt, um sicherzustellen, dass für die Wahrheit des Satzes erforderlich ist, dass es nur *einen* solchen Gegenstand gibt. Zusammengenommen ersetzt das in gewisser Hinsicht die bestimmte Beschreibung »der erste Postminister der Vereinigten Staaten«. Entsprechendes gilt für das zweite Konjunktionsglied, das auf die Eigenschaft H Bezug nimmt. Das letzte Konjunktionsglied der quantifizierten Existenzaussage drückt schließlich die Identität von x und y aus. In der quantifizierten Form kommen nur mehr gebundene Variablen und Prädikate, jedoch keine Ausdrücke mehr vor, die auf irgendwelche einzelnen Gegenstände Bezug nehmen.[44]

Was passiert nun, wenn man einen Notwendigkeitsoperator ins Spiel bringt und fragt, wie es um die Wahrheit der

44 Das zeigt, dass Kripke letztlich auch in Bezug auf Beschreibungen von Russells Auffassung abweicht. Schließlich hält Kripke bestimmte Beschreibungen für (typischerweise nicht-starre) Bezeichner einzelner Gegenstände. Gemäß der Russell-Analyse können bestimmte Beschreibungen das aber gar nicht leisten.

Aussage steht, die in der Kurzschreibweise mit Hilfe des Jota-Operators wie folgt ausgedrückt werden kann:

$$\Box\,(\imath xGx = \imath xHx)$$

Diese Aussage ist Russell zufolge mehrdeutig. Die Mehrdeutigkeit wird jedoch erst dann sichtbar, wenn man sich die explizit quantifizierte Form der Aussage ansieht. Zum einen könnte man die Aussage so verstehen, dass der Modaloperator weiterhin ganz vorne steht:

$$\Box\,\exists x\,\exists y\,[(Gx \wedge \forall v\,(Gv \supset v = x)) \wedge (Hy \wedge \forall w\,(Hw \supset w = y)) \wedge (y = x)]$$

Zum anderen könnte man die Aussage so verstehen, dass der Modaloperator ganz am Ende vor dem letzten Konjunktionsglied steht:

$$\exists x\,\exists y\,[(Gx \wedge \forall v\,(Gv \supset v = x)) \wedge (Hy \wedge \forall w\,(Hw \supset w = y)) \wedge \Box\,(y = x)]$$

In der zweiten Variante stehen die Konjunktionsglieder, die auf die Eigenschaften G und H Bezug nehmen und die die bestimmten Beschreibungen »der erste Postminister der Vereinigten Staaten« und »der Erfinder der Zweistärkenbrille« ersetzen, links vom Notwendigkeitsoperator, der auf sie daher nicht anzuwenden ist. In Russells Terminologie haben die Beschreibungen *weiten Skopus*, oder *kommen primär vor*: Sie sind nicht Teil eines komplexeren Ausdrucks, auf den ein Modaloperator angewandt wird.

Anders verhält es sich mit der ersten Variante. Hier wird

der Modaloperator auf die ganze Formel angewandt. Somit haben die bestimmten Beschreibungen *engen Skopus*, oder *kommen sekundär vor*: Sie sind also Teil eines komplexeren Ausdrucks, auf den ein Modaloperator angewandt wird.[45]

Die erste Lesart ist mit der intuitiv plausiblen Auffassung, es sei möglich, dass ein Gegenstand die Eigenschaft hat, erster Postminister der Vereinigten Staaten zu sein, während ein *anderer* Gegenstand die Eigenschaft hat, die Zweistärkenbrille erfunden zu haben, unvereinbar. Sowohl Kripke als auch Quine halten die Aussage in dieser Lesart daher für falsch.

Quine ist allerdings aufgrund seiner ablehnenden Haltung gegenüber Modalität *de re* und der Quantifikation in modale Kontexte hinein auf die erste Lesart als die einzig sinnvolle festgelegt, und somit hält er auch die Aussage $\Box(\imath x Gx = \imath x Hx)$ auf jeden Fall für falsch.

Kripke hingegen hat hier mehr Spielraum. Aus seiner Sicht ist $\Box(\imath x Gx = \imath x Hx)$ grundsätzlich entsprechend der zweiten Lesart zu analysieren. Diese lässt zu, dass die Eigenschaften G und H in einer alternativen Situation auch verschiedenen Gegenständen hätten zukommen können. Dadurch ist gewährleistet, dass die Aussage mit unseren Intuitionen vereinbar ist. Dennoch würde in einer solchen

---

45 Zwischen den beiden Varianten mit weitem Skopus und engem Skopus findet sich noch die Variante, in der der Modaloperator unmittelbar nach den Existenzquantoren steht: $\exists x\, \exists y\, \Box\, [(Gx \wedge \forall v\, (Gv \supset v = x)) \wedge (Hy \wedge \forall w\, (Hw \supset w = y)) \wedge (y = x)]$. Diese dritte Variante trägt allerdings zu unserem Problem nichts Neues bei, was nicht bereits mit Hilfe der Unterscheidung zwischen der Variante mit engem und jener mit weitem Skopus erläutert werden kann.

alternativen Situation Benjamin Franklin weiterhin ein und derselbe Gegenstand bleiben, und das ist alles, was der Modaloperator in der zweiten Lesart zum Ausdruck bringt. Nach dieser Lesart ist $\Box(\imath x G x = \imath x H x)$ Kripke zufolge eine wahre Aussage, wenngleich auch Kripke bei solchen Identitätsaussagen, die ausschließlich auf kontingente Eigenschaften von Gegenständen wie *der Erfinder der Zweistärkenbrille zu sein* Bezug nehmen, unseren Intuitionen entsprechend von kontingenten Identitätsaussagen spricht, obwohl in ihnen ein Notwendigkeitsoperator vorkommt.

Dieselbe Unterscheidung ermöglicht es sogar, Aussagen wie »Der Autor von *Hamlet* hätte auch nicht der Autor von *Hamlet* sein können« als wahre Aussagen einzustufen, wenn man die Lesart mit weitem Skopus heranzieht:

$$\exists x\, [Hx \wedge \forall y\, (Hy \supset y = x) \wedge \Diamond(\sim Hx)]$$

H steht hier für die Eigenschaft, *Hamlet* geschrieben zu haben, und das Symbol $\Diamond$ stellt den Möglichkeitsoperator dar. Nach dieser Lesart wird nur gefordert, dass es genau einen Gegenstand gibt, der *Hamlet* geschrieben hat, und dass es möglich ist, dass dieser Gegenstand *Hamlet* nicht geschrieben hat. Das scheint unproblematisch zu sein und drückt intuitiv das aus, was man sagen will, wenn man solche Aussagen trifft. Anders verhält es sich mit der Lesart mit engem Skopus:

$$\Diamond\, \exists x\, [Hx \wedge \forall y\, (Hy \supset y = x) \wedge \sim Hx]$$

Hier wird gefordert, dass in ein und derselben Situation ein und derselbe Gegenstand sowohl *Hamlet* geschrieben (ers-

tes Konjunktionsglied) als auch nicht geschrieben (drittes Konjunktionsglied) hat, was offensichtlich widersprüchlich und daher allein anhand der logischen Form der Aussage als falsch erkennbar ist.

Identitätsaussagen mit Eigennamen

Für Identitätsaussagen mit bestimmten Beschreibungen bietet Russells Analyse also eine Möglichkeit, deren intuitive Kontingenz zu bewahren. Wie steht es aber um Identitätsaussagen mit Eigennamen, wie etwa »Cicero ist Tullius« oder »Hesperus ist Phosphorus«? Quine folgt hier im Wesentlichen der Auffassung von Frege und Russell, dass es sich bei Eigennamen eigentlich auch um verkappte Beschreibungen handelt bzw. dass Eigennamen synonym zu bestimmten Beschreibungen sind.[46] Dieser Auffassung zu-

---

46 Terminologisch ist die Sache noch ein wenig komplizierter. Russell verwendet den Ausdruck »Eigennamen« streng genommen genau wie Kripke in der Form, dass er nur solche Ausdrücke umfasst, die wie Etiketten lediglich referieren. Allerdings trifft das aus Russells Sicht ausschließlich auf Ausdrücke zu, die sich auf Sinnesdaten beziehen, mit denen wir unmittelbar bekannt sind (»knowledge by acquaintance«). Alle anderen Gegenstände kennen wir nur über Beschreibungen (»knowledge by description«), dementsprechend brauchen wir Russell zufolge Beschreibungen als Teil des semantischen Gehalts des Ausdrucks, um den Gegenstand zu bestimmen, auf den sich der Ausdruck bezieht. Die einzigen echten Eigennamen bei Russell sind Demonstrativpronomen wie »diese(r)« und »jene(r)«, wenn sie sich auf Sinnesdaten beziehen. Das, was wir alltagssprachlich als Eigennamen verstehen, wie »Cicero« oder »Saul Kripke«, sind in Russells Termino-

folge könnte man etwa »Hesperus« als synonym mit »der Himmelskörper, der abends an der und der Stelle am Himmel zu sehen ist«, und »Phosphorus« als synonym mit »der Himmelskörper, der morgens an der und der Stelle am Himmel zu sehen ist« auffassen. In diesem Fall sind Identitätsaussagen mit Eigennamen auf die gleiche Weise wie solche mit Beschreibungen zu analysieren, und sie sind allesamt kontingent, sofern zumindest eine der Beschreibungen auf eine kontingente Eigenschaft des jeweiligen Gegenstands Bezug nimmt. Anders als Quine ist Kripke davon überzeugt, dass Eigennamen wie »Etiketten« funktionieren: Sie referieren lediglich auf einen Gegenstand, haben darüber hinaus aber keinerlei beschreibenden semantischen Gehalt. Die Aussage »der Himmelskörper, der abends an der und der Stelle am Himmel zu sehen ist, ist der Himmelskörper, der morgens an der und der Stelle am Himmel zu sehen ist« halten Kripke und Quine gleichermaßen für kontingent. Aufgrund seiner Auffassung zur Funktionsweise von Eigennamen hält Kripke die Aussage »Hesperus ist Phosphorus« allerdings für notwendig wahr, während Quine sie für lediglich kontingent wahr hält.

Um dies zu erläutern, führt Kripke eine Unterscheidung zwischen *starren Bezeichnern* (»rigid designators«) und *nicht-starren Bezeichnern* (»non-rigid designators«) ein. Starre Bezeichner sind sprachliche Ausdrücke, die in jeder möglichen Welt genau denselben Gegenstand bezeichnen,

logie gar keine echten Eigennamen. Wenn wir den Ausdruck »Eigennamen« so wie Kripke im alltagssprachlichen Sinne verstehen, ist die Aussage, dass Eigennamen Russell zufolge synonym zu Beschreibungen sind, dennoch zutreffend. Siehe Russell 1910/11, insb. S. 121.

sofern der Gegenstand in der jeweiligen Welt existiert, und die in keiner Welt irgendetwas anderes als diesen Gegenstand bezeichnen. Nicht-starre Bezeichner hingegen bezeichnen in verschiedenen Welten nicht immer denselben Gegenstand. Kripke zufolge sind bestimmte Beschreibungen wie »der Erfinder der Zweistärkenbrille« oder »der Himmelskörper, der am Abend an der und der Stelle am Himmel zu sehen ist« nicht-starre Bezeichner. In einer Welt, in der der Mars anstelle der Venus am Abend an der entsprechenden Stelle am Himmel zu sehen wäre, bezeichnet die bestimmte Beschreibung »der Himmelskörper, der am Abend an der und der Stelle am Himmel zu sehen ist« den Mars anstelle der Venus. Namen hingegen sind starre Bezeichner. »Benjamin Franklin« und »Hesperus« bezeichnen in jeder Welt jeweils denselben Gegenstand, sofern der Gegenstand dort existiert: Benjamin Franklin und die Venus.

Es gibt jedoch auch einige bestimmte Beschreibungen, die starre Bezeichner sind. Ein Beispiel, anhand dessen Kripke den Begriff eines starren Bezeichners erläutert, ist die bestimmte Beschreibung »die Quadratwurzel von 25«[47]. Da der Umstand, dass sich formal beweisen lässt, dass die Quadratwurzel von 25 die Zahl 5 ist, auch mit sich bringt, dass das nicht hätte anders sein können, ist die Quadratwurzel von 25 nicht nur kontingent, sondern notwendig die Zahl 5 – »die Quadratwurzel von 25« bezeichnet also

---

[47] Dies setzt die übliche definitorische Annahme voraus, dass die Quadratwurzel einer nicht-negativen Zahl als jene *nicht-negative* Zahl verstanden wird, deren Quadrat die Zahl unter der Wurzel ist, da ansonsten bei der Quadratwurzel von 25 sowohl 5 als auch -5 in Frage kämen.

starr die Zahl 5, obwohl es sich dabei um eine Beschreibung handelt.

In seinen Ausführungen versucht Kripke, zunächst einige Missverständnisse aus dem Weg zu räumen. Er weist darauf hin, dass er bei der Unterscheidung zwischen starren und nicht-starren Bezeichnern immer von unserer eigenen Sprache und nicht davon ausgeht, wie bestimmte Ausdrücke in alternativen Situationen (Welten) benutzt hätten werden können. Natürlich gesteht Kripke zu, dass man sowohl Ausdrücke wie »Benjamin Franklin« und »Phosphorus« als auch Ausdrücke wie »der Erfinder der Zweistärkenbrille« auch völlig anders hätte verwenden können als in der Form, wie wir das tatsächlich tun. Anders gesagt: Die Ausdrücke »Hesperus« und »Phosphorus« koreferieren zwar in unserer Sprache, d. h. beide bezeichnen in unserer Sprache denselben Gegenstand, doch in einer anderen Sprache könnte das durchaus anders sein. Wenn wir aber diese Ausdrücke verwenden, um *in unserer Sprache* – und diese benutzen wir für gewöhnlich, wenn wir Identitätsaussagen machen – über alternative Situationen zu sprechen, dann bleibt der bezeichnete Gegenstand im Falle von Namen wie »Benjamin Franklin« immer derselbe, während sich der bezeichnete Gegenstand im Falle von bestimmten Beschreibungen wie »der Erfinder der Zweistärkenbrille« gegebenenfalls verändert. Außerdem weist Kripke noch einmal darauf hin, dass die Rede von »Benjamin Franklin« als starrem Bezeichner nicht voraussetzt, dass der bezeichnete Gegenstand, also Benjamin Franklin, notwendigerweise existiert. In Situationen, in denen Benjamin Franklin nicht existiert, bezeichnet der Ausdruck »Benjamin Franklin« schlicht und einfach überhaupt nichts.

Im Anschluss geht Kripke auf einen komplexeren Einwand ein, der eng mit David Lewis' (1941–2001) modalem Realismus[48] verknüpft ist. Lewis nimmt die Rede von möglichen Welten sehr ernst. Aus seiner Sicht existieren andere mögliche Welten genau in demselben Sinne wie unsere tatsächliche Welt. Andere Welten sind lediglich von unserer Welt kausal abgetrennt. Wenn wir etwa über Richard Nixon (1913–1994) in einer anderen möglichen Welt reden, reden wir Lewis zufolge streng genommen nicht wirklich über Richard Nixon, sondern über ein Gegenstück (»counterpart«) zu Richard Nixon in der jeweiligen Welt, also über einen Gegenstand, der in der jeweiligen Welt existiert und Richard Nixon hinsichtlich seiner (relevanten) Eigenschaften sehr stark ähnelt. Um nun herauszufinden, wer in einer Welt ein Gegenstück zu Richard Nixon ist, müssen wir uns daran orientieren, welche Eigenschaften die verschiedenen Gegenstände in der jeweiligen Welt mit dem Richard Nixon aus unserer Welt gemeinsam haben, und das können wir nur anhand von qualitativen Beschreibungen dieser Gegenstände. Damit steht einem ein »Identitätskriterium« über mögliche Welten hinweg zur Verfügung, sofern man damit lediglich ein Kriterium für das Bestehen einer Gegenstückrelation meint. Echte Identität über mögliche Welten hinweg gibt es Lewis zufolge strenggenommen nicht.

Aus Kripkes Sicht nimmt Lewis die Rede von möglichen Welten viel zu ernst. Ein Identitätskriterium wie jenes, das Lewis vorschlägt, wäre dann sinnvoll, wenn mögliche Welten so etwas wie weit voneinander entfernte Planeten

48 Lewis 1986.

wären, die wir mit einem Fernrohr beobachten können. In diesem Fall wäre es zum einen plausibel anzunehmen, dass eine Gegenstückrelation an die Stelle der Identitätsrelation treten muss, da ein Gegenstand auf einem Planeten nicht derselbe sein kann wie ein Gegenstand auf einem anderen Planeten. Zum anderen würde man tatsächlich eine qualitative Beschreibung der Gegenstände benötigen, um mit Hilfe eines Fernrohres das passende Gegenstück zu finden. Kripke zufolge sind mögliche Welten aber nicht wie weit voneinander entfernte Planeten (für Lewis übrigens auch nicht, wenn auch aus anderen Gründen), und auf Gegenstücke können wir ebenfalls verzichten. Wenn wir sagen, dass Nixon Carswell durchgebracht hätte, wenn er Senator x bestochen hätte, dann reden wir nicht von irgendwelchen Gegenstücken, die es erst zu finden gilt, sondern von Nixon und Carswell selbst. Wir brauchen somit auch kein Identitätskriterium über mögliche Welten hinweg, sondern können schlicht und einfach *festlegen*, dass wir von *diesen* Personen reden. Schließlich, so Kripke, legen wir in qualitativen Beschreibungen von anderen möglichen Welten bzw. kontrafaktischen Situationen ja auch fest, welche Eigenschaften die entsprechenden Gegenstände haben, ohne nach Identitätskriterien für diese Eigenschaften zu fragen. Und es besteht kein guter Grund dafür, zu glauben, dass wir bei einzelnen Gegenständen Identitätskriterien benötigen, bei Eigenschaften aber nicht.[49]

Was spricht nun letztlich dafür, dass Namen, anders als

---

49 Eine ausführlichere Auseinandersetzung mit Identität über mögliche Welten hinweg findet sich in Kripke 1980, S. 41–53. Zu Lewis' Replik siehe Lewis 1986, S. 196.

die meisten bestimmten Beschreibungen, starre Bezeichner sind? Kripke schlägt einen intuitiven Test vor, der zeigen soll, ob es sich bei einem Ausdruck um einen starren Bezeichner handelt oder nicht. Die Frage, ob der Erfinder der Zweistärkenbrille auch ein anderer hätte sein können als jener, der tatsächlich die Zweistärkenbrille erfunden hat, würde man intuitiv mit »ja« beantworten. Die bestimmte Beschreibung »der Erfinder der Zweistärkenbrille« ist demnach nicht-starr. Die Frage, ob die Quadratwurzel von 25 auch eine andere Zahl hätte sein können als jene, die tatsächlich die Quadratwurzel von 25 ist, würde man intuitiv allerdings mit »nein« beantworten. Die bestimmte Beschreibung »die Quadratwurzel von 25« ist demnach starr. Entsprechend verhält es sich, so Kripke, mit Namen: Die Frage, ob Richard Nixon auch jemand anderer hätte sein können als jener Mann, der tatsächlich Richard Nixon ist, würde man intuitiv ebenfalls mit »nein« beantworten.[50] Dem intuitiven Test zufolge sind also auch Eigennamen wie »Richard Nixon« starre Bezeichner.

Wenn Namen starre Bezeichner sind, die in jeder möglichen Welt, in der sie überhaupt irgendetwas bezeichnen, denselben Gegenstand bezeichnen, dann sind Identitätsaussagen wie »Cicero ist Tullius« oder »Hesperus ist Phosphorus« notwendig wahr, sofern sie überhaupt wahr sind. Sowohl »Cicero« als auch »Tullius« sind Kripke zufolge Namen einer bestimmten Person, und eine Situation, in der »Cicero ist Tullius« falsch wäre, wäre eine Situation, in der

---

50 Diese Frage ist nicht zu verwechseln mit jener, ob Benjamin Franklin auch einen anderen Namen hätte haben können als »Benjamin Franklin«; eine Frage, die wir intuitiv mit »ja« beantworten würden.

jene Person, die von den Namen »Cicero« und »Tullius« starr bezeichnet wird, nicht mit sich selbst identisch wäre. Unter der Voraussetzung, dass Selbst-Identität notwendig ist – wie Prinzip (2) besagt, das weiter oben besprochen wurde –, kann es eine solche Situation jedoch nicht geben. Wichtig dabei ist, dass man Identitätsaussagen wie »Cicero ist Tullius« und »Hesperus ist Phosophorus«, die etwas über die Identität der Gegenstände aussagen, nicht mit metalinguistischen Aussagen verwechselt. Die Aussage »›Cicero‹ und ›Tullius‹ sind Namen derselben Person« und »›Hesperus‹ und ›Phosphorus‹ sind Namen desselben Himmelskörpers« sind lediglich kontingenterweise wahr. Man hätte diese Ausdrücke natürlich anders gebrauchen können. Doch unter der Voraussetzung, dass man die Ausdrücke so verwendet, wie wir das tatsächlich tun, sind die Aussagen »Cicero ist Tullius« und »Hesperus ist Phosphorus« notwendig wahr, wenn sie überhaupt wahr sind. Sollten wir uns irren, sollte sich also letztlich herausstellen, dass es sich bei Cicero und Tullius doch nicht um dieselbe Person oder bei Hesperus und Phosphorus doch nicht um denselben Himmelskörper handelt, ist die entsprechende Identitätsaussage notwendig falsch.

Notwendigkeit und Apriorität

Anders als Carnap und Quine, die Notwendigkeit mit Analytizität in Verbindung bringen, interpretiert Kripke den Begriff der Notwendigkeit primär als einen metaphysischen Begriff, der eng mit dem Begriff einer wesentlichen Eigenschaft verknüpft ist. So ist es eine notwendige und

damit auch wesentliche Eigenschaft jeder Entität, mit sich selbst identisch zu sein. Die Identitätsrelation zwischen einem Gegenstand und sich selbst besteht notwendigerweise. Gleichwohl können wir auch davon sprechen, dass eine Aussage notwendig ist, und zwar genau dann, wenn die Aussage in jeder kontrafaktischen Situation (möglichen Welt) wahr ist, in der die Gegenstände, auf die in der Aussage Bezug genommen wird, existieren. Wenn man wie Kripke den Begriff der Apriorität der Epistemologie (Erkenntnistheorie) und jenen der Notwendigkeit der Metaphysik zuordnet, und damit davon absieht, Notwendigkeit unmittelbar mit Analytizität oder gar Apriorität gleichzusetzen, so ist es nicht offensichtlich, warum diese Begriffe miteinander zusammenfallen sollten. In seinem Aufsatz liefert Kripke einige Beispiele, die klar zeigen sollen, dass es nicht nur nicht offensichtlich, sondern sogar falsch ist, dass Notwendigkeit und Apriorität stets miteinander zusammenfallen.

Ein Argument für die Trennung der Begriffspaare *a priori / a posteriori* und notwendig / kontingent ergibt sich Kripke zufolge aus dem Essentialismus.[51] Er ist überzeugt davon, dass die Rede von Notwendigkeit *de re* (also die Zuschreibung von notwendigen Eigenschaften an einen Gegenstand unabhängig davon, wie der Gegenstand beschrieben wird) und die damit einhergehende Idee wesentlicher Eigenschaften sinnvoll ist. Eine wesentliche Eigenschaft, die allen Gegenständen gemein ist, ist die Eigenschaft der

---

51 Eine ausführliche Analyse des Verhältnisses zwischen dem Essentialismus und Kripkes Theorie direkter Referenz bietet Salmon 1981.

Selbstidentität. Nichts kann existieren, oder hätte existieren können, ohne mit sich selbst identisch zu sein. Darüber hinaus gibt es Kripke zufolge noch eine Reihe anderer Eigenschaften, die bestimmte Gegenstände notwendigerweise haben. So ist es eine notwendige (wesentliche) Eigenschaft der Zahl 2, die kleinste Primzahl, und eine notwendige Eigenschaft der Zahl 5, die Quadratwurzel von 25 zu sein. Von diesen Eigenschaften können wir *a priori* einsehen, dass sie den jeweiligen Gegenständen, den entsprechenden Zahlen, notwendigerweise zukommen (etwa durch einen arithmetischen Beweis).

Es gibt aber aus Kripkes Sicht auch wesentliche Eigenschaften, von denen wir nur empirisch feststellen können, dass ein Gegenstand sie hat. Als Beispiel dient ihm die Eigenschaft des vor ihm stehenden Rednerpultes, aus Holz gemacht, bzw. jene Eigenschaft, nicht aus Eis gemacht zu sein. Ist es vorstellbar, dass das vor ihm stehende Rednerpult, gegeben, dass es tatsächlich aus Holz gemacht ist, auch aus Eis hätte gemacht sein können? Kripke verneint diese Frage. Aus seiner Sicht kann man sich zwar eine Situation vorstellen, in der anstatt des tatsächlich vor ihm stehenden Rednerpultes, das aus Holz gemacht ist, ein *anderes* Rednerpult vor ihm steht, das aus Eis gemacht ist, ansonsten aber genauso aussieht wie das tatsächlich vor ihm stehende Pult. Das wäre aber keine Situation, in der genau *dieses* Rednerpult, das tatsächlich vor ihm steht, aus Eis gemacht wäre. Wer anderer Auffassung ist, verwechselt aus Kripkes Sicht die beiden Situationen.

Wenn Kripke mit seinen Überlegungen Recht hat, dann lässt sich daraus ein Argument gegen das Zusammenfallen von Notwendigkeit mit Apriorität entwickeln. Wir können

durch philosophische Reflexion *a priori* wissen, dass das Rednerpult, wenn es aus Holz gemacht ist, notwendigerweise aus Holz gemacht ist ($P \supset \square P$). Die Wahrheit des Vorderglieds dieses Konditionalsatzes, dass das Rednerpult aus Holz gemacht ist (P), lässt sich aber nur durch empirische Untersuchungen *a posteriori* bestimmen. Aus beiden Einsichten zusammen lässt sich nun ableiten, dass es notwendig ist, dass das Rednerpult aus Holz gemacht ist ($\square P$). Die Aussage, dass das Rednerpult aus Holz gemacht ist, stellt sich also als notwendig heraus, obwohl ihre Wahrheit nur *a posteriori* einsehbar ist. Notwendigkeit und Apriorität fallen also, anders als von Carnap und Quine behauptet, nicht immer miteinander zusammen.

Von Namen von Individuen zu Termen für natürliche Arten

Die Strategie, zu behaupten, seine Gegner*innen würden einer Verwechslung zum Opfer fallen, spielt auch für die weiteren Fälle, die Kripke in seinem Aufsatz diskutiert, eine zentrale Rolle. Identitätsaussagen über Individuen, bei denen links und rechts des Identitätszeichens Eigennamen stehen, wie etwa »Hesperus ist Phosphorus« oder »Cicero ist Tullius«, stellen aus Kripkes Sicht ebenfalls klare Beispiele für notwendigerweise wahre Aussagen dar, deren Wahrheit wir nur *a posteriori* einsehen können. Die Notwendigkeit ergibt sich hier aus dem Umstand, dass es sich bei Eigennamen um starre Bezeichner handelt, die in jeder möglichen Welt ein und denselben Gegenstand und nie etwas anderes bezeichnen. Wenn man davon ausgeht, dass

»Hesperus ist Phosphorus« wahr ist, dann wäre eine Welt, in der Hesperus nicht Phosphorus wäre, eine Welt, in der jener Gegenstand (die Venus), der von den beiden Ausdrücken starr bezeichnet wird, nicht mit sich selbst identisch wäre. Das kann aber nicht sein. Dennoch scheint es sich bei »Hesperus ist Phosphorus« und »Cicero ist Tullius« um Aussagen zu handeln, deren Wahrheit wir empirisch, also *a posteriori*, feststellen.

Wieder schlägt Kripke vor, dass sich der Eindruck, es handle sich bei den genannten Identitätsaussagen um kontingente Aussagen, aus einer naheliegenden Verwechslung ergibt. Die erste mögliche Verwechslung, auf die er hinweist, besteht darin, dass es sich bei »Hesperus ist Phosphorus« um eine metalinguistische Aussage handelt, die uns Auskunft über die Koreferenz der Namen gibt: »›Hesperus‹ und ›Phosphorus‹ sind Namen desselben Himmelskörpers«. Wenn das so wäre, dann würde es sich tatsächlich um eine kontingente Aussage handeln, zumindest dann, wenn wir die relevanten alternativen Situationen so verstehen, dass die Ausdrücke in einer anderen Sprache auch anders gebraucht hätten werden können. Allerdings sind in diesem Sinne selbst mathematische Aussagen wie »2 + 2 = 4« kontingent, da die Symbole auch für andere Zahlen oder Rechenoperationen hätten verwendet werden können. Diese Interpretation von Identitätsaussagen kann also nicht das sein, was gemeint ist.

Die zweite Möglichkeit, die Kripke bespricht, besteht darin, eine Identitätsaussage mit zwei starren Bezeichnern und eine, die mindestens einen nicht-starren Bezeichner beinhaltet (typischerweise also eine Identitätsaussage mit Eigennamen und eine mit mindestens einer bestimmten

Beschreibung vermittels kontingenter Eigenschaften) miteinander zu verwechseln. Wie könnte eine Situation aussehen, die sich Vertreter*innen der Auffassung vorstellen, dass »Hesperus ist Phosphorus« kontingent ist, die also zeigen soll, dass die Aussage »Hesperus ist nicht Phosphorus« zwar falsch ist, jedoch hätte wahr sein können? Kripke schlägt vor, dass es sich dabei um eine Situation handeln dürfte, in der die Venus sich nicht an jener Stelle am Abendhimmel befindet, an der sie tatsächlich zu sehen ist, da in der vorgestellten Situation die Bahnen der Planeten um die Sonne anders verlaufen, als sie es tatsächlich tun. So könnte an der uns bekannten Stelle am Abend der Mars zu sehen sein. Es könnte sogar sein, dass die Astronom*innen *in der vorgestellten Situation* dem Mars den Namen »Hesperus« geben. Wenn es nach Kripke geht, dann handelt es sich bei der vorgestellten Situation jedoch nicht um eine Situation, in der die Aussage »Hesperus ist nicht Phosphorus«, als Aussage in *unserer* Sprache verstanden, wahr wäre. Stattdessen würde es sich um eine Situation handeln, in der Hesperus immer noch Phosphorus sein, sich aber abends nicht an der uns bekannten Stelle befinden würde, und daher auch nicht »Hesperus« genannt worden wäre. Die vorgestellte Situation wäre also keine, die zeigt, dass es sich bei »Hesperus ist Phosphorus« nicht um eine notwendig wahre Aussage handelt. Da sich Kripke mit seinen Gegner*innen einig ist, dass es sich bei »Hesperus ist Phosophorus« um eine Aussage handelt, deren Wahrheit wir auf empirischem Wege, also *a posteriori*, festgestellt haben, sind Identitätsaussagen mit Eigennamen entgegen der zu der Zeit verbreiteten Auffassung Fälle von notwendig wahren Aussagen *a posteriori*.

Um welche kontingente Identitätsaussage handelt es sich hier, mit der die Aussage »Hesperus ist Phosphorus« verwechselt wird? Kripke zufolge könnte es sich dabei um die Aussage handeln, dass jener Himmelskörper, der am Abend an dieser und jener Stelle am Himmel zu sehen ist, Phosphorus ist. Er gesteht zu, dass es sein kann, dass die bestimmte Beschreibung »der Himmelskörper, der am Abend an dieser und jener Stelle am Himmel zu sehen ist« ursprünglich dazu gedient hat, die Referenz des Ausdrucks »Hesperus« festzulegen. Dieses Eingeständnis ist eng verknüpft mit seiner kausal-historischen Theorie darüber, wie die Referenz eines Eigennamens zustande kommt. So könnten antike Beobachter*innen die Venus »Hesperus« getauft und dabei die bestimmte Beschreibung verwendet haben, um festzulegen, welchen Himmelskörper sie eigentlich zu taufen beabsichtigen. Die Aussage »Der Himmelskörper, der am Abend an dieser und jener Stelle am Himmel zu sehen ist, ist Phosphorus« ist deshalb kontingent, weil die bestimmte Beschreibung links des Identitätszeichens in der weiter oben beschriebenen kontrafaktischen Situation den Mars bezeichnet, während »Phosphorus« die Venus bezeichnet, und der Mars auch in der vorgestellten Situation nicht die Venus ist. Die Auffassung, dass die Aussage »Hesperus ist Phosphorus« daher auch kontingent sein muss, lässt sich aus Kripkes Sicht dadurch erklären, dass ihre Vertreter*innen die Relation zwischen einem Namen und der zur Referenzfestlegung verwendeten bestimmten Beschreibung mit jener der Synonymie verwechseln – ein Fehler, der sich aus der von Russell und Frege entwickelten Theorie der Referenz ergibt. Letztlich hält Kripke die Rolle von bestimmten Beschreibungen

selbst im Rahmen von solchen Taufakten für marginal. In den meisten Fällen spielen Beschreibungen aus seiner Sicht keine Rolle. Wichtig festzuhalten bleibt jedoch, dass selbst dann, wenn bestimmte Beschreibungen zur Referenzfestlegung herangezogen werden sollten, nichts dagegenspricht, dass Identitätsaussagen mit Eigennamen notwendig sind, weil die Namen auch in diesem Fall nicht synonym zu den zur Referenzfestlegung benutzten bestimmten Beschreibungen sind.

Die bisher besprochenen Beispiele für notwendige Identitätsaussagen *a posteriori* sind entweder Identitätsaussagen mit Eigennamen für Individuen, wie etwa »Hesperus« und »Phosphorus«, »Cicero« und »Tullius«, oder Aussagen über Individuen, die zur Bezugnahme Beschreibungen verwenden, die auf wesentliche Eigenschaften verweisen, etwa »Dieses Rednerpult ist aus Holz gemacht«. Kripke beschränkt seine Überlegungen jedoch nicht nur auf Aussagen über Individuen. Aus seiner Sicht lässt sich dieselbe Argumentationsstrategie insbesondere auch auf wissenschaftliche Identitätsaussagen anwenden, die auf wissenschaftliche Phänomene und Arten im allgemeinen Bezug nehmen, wie etwa »Wasser ist H_2O« oder »Wärme ist Molekularbewegung«. Auch bei wissenschaftlichen Identitätsaussagen ist zur Zeit der Entstehung von Kripkes Aufsatz die Auffassung weit verbreitet, dass es sich dabei um kontingente Aussagen handelt, da es sich klarerweise um empirische Aussagen *a posteriori* handelt. Genau wie bei »Cicero« und »Hesperus« handelt es sich Kripke zufolge bei »Wasser«, »H_2O«, »Wärme« und »Molekularbewegung« um starre Bezeichner, allerdings nicht um starre Bezeichner von einzelnen Gegenständen, sondern von natürlichen Ar-

ten wie bestimmten Stoffen bzw. wissenschaftlichen Phänomenen.[52] Auch diese Identitätsaussagen sind daher nicht kontingent, sondern notwendig wahr (wenn sie überhaupt wahr sind, und davon ist bei den genannten Beispielen auszugehen).

Auch hier erläutert Kripke, welche Situationen als solche in Frage kommen, die Vertreter*innen dieser Auffassung für jene halten, in denen etwa die Aussage »Wärme ist Molekularbewegung« falsch gewesen wäre. Wenn man sich etwa eine Situation vorzustellen glaubt, in der sich herausstellt, dass Wärme etwas anderes ist als Molekularbewegung, dann – so Kripkes Vermutung – stellt man sich eigentlich eine Situation vor, in der das Phänomen, das jene Empfindungen bewirkt, die man »Wärmeempfindungen« nennt, etwas anderes ist als Molekularbewegung. Da es sich beim Ausdruck »das Phänomen, das jene Empfindungen bewirkt, die man ›Wärmeempfindungen‹ nennt« um eine bestimmte Beschreibung handelt, die auf Wärme mittels der kontingenten Eigenschaft von Wärme, Wärmeempfindungen zu bewirken, Bezug nimmt, handelt es sich bei der bestimmten Beschreibung allerdings nicht um einen starren Bezeichner. Daher ist die Identitätsaussage »Das Phänomen, das jene Empfindungen bewirkt, die man ›Wärmeempfindungen‹ nennt, ist Molekularbewegung« lediglich kontingent wahr, während »Wärme ist Molekularbewegung« notwendig wahr ist. Gleichzeitig ist die genannte bestimmte Beschreibung ein recht plausibler Kandidat für

---

52 Kripke liefert jedoch keine Definition, die erläutert, was es für Terme für natürliche Arten genau bedeutet, ein starrer Bezeichner zu sein. Dieser Frage widmet sich Soames 2002.

jene, die zur ursprünglichen Festlegung der Referenz des Ausdrucks »Wärme« herangezogen wurde, sofern eine Beschreibung dabei überhaupt eine Rolle spielte.

Um zu sehen, dass es sich bei der Eigenschaft, Wärmeempfindungen zu bewirken, nicht um eine wesentliche, sondern eine kontingente Eigenschaft von Wärme handelt, schlägt Kripke vor, sich eine Situation vorzustellen, in der Lebewesen mit einem Wahrnehmungsapparat, der anders beschaffen ist als unserer, auf die Erde kommen, sagen wir: Marsianer. Angenommen, dass diese Lebewesen nahe einem Feuer stehen und die Hände in dessen Richtung strecken, empfinden sie jene Empfindungen, die Menschen typischerweise empfinden, wenn sie einen Eisblock anfassen, also jene Empfindungen, die wir »Kälteempfindungen« nennen (und umgekehrt). Wie würde man diese Situation beschreiben? Würde es sich hier um eine Situation handeln, in der sich zeigt, dass Wärme nicht die Bewegung von Molekülen ist, oder eher um eine Situation, in der sich zeigt, dass Marsianer im Unterschied zu Menschen keine Wärmeempfindungen, sondern Kälteempfindungen haben, wenn sie Wärme ausgesetzt sind (und umgekehrt)? Kripke hält die zweite Beschreibung für zutreffend.

Um diese Intuition noch weiter zu stützen, schlägt er vor, sich eine kontrafaktische Situation vorzustellen, in der es Feuer gibt, aber keine Lebewesen, jedenfalls keine, die Wärmeempfindungen haben können. Wie würden wir diese Situation unter der weiteren Annahme, dass die Naturgesetze jenen in unserer Welt so weit wie möglich entsprechen, beschreiben? Würde es sich hier um eine Situation handeln, in der es keine Wärme gibt? Oder würde man diese Situation eher als eine beschreiben, in der Feuer die

Luft erwärmt, es also Wärme gibt, aber keine Lebewesen, die diese Lufterwärmung anhand von Wärmeempfindungen fühlen? Kripke ist davon überzeugt, dass die zweite Beschreibung korrekt ist. Wenn man sich nun weiter vorstellt, dass in dieser Welt Leben entsteht, und sich Lebewesen entwickeln, deren sensorischer Apparat dem der Marsianer aus dem vorangegangenen Beispiel entspricht, so stellt man sich aus seiner Sicht keine Situation vor, in der Wärme zu Kälte wird, sondern eine, in der die Lebewesen in Gegenwart von Kälte jene Empfindungen haben, die Menschen in Gegenwart von Wärme haben, und in Gegenwart von Wärme jene Empfindungen haben, die Menschen in Gegenwart von Kälte haben. Wir können uns also vorstellen, dass sich Lebewesen in derselben *epistemischen Situation* hätten befinden können, in der wir uns befinden, wenn wir das Phänomen der Wärme fühlen, ohne dass es sich bei dem von diesen Lebewesen gefühlten Phänomen um Molekularbewegung und damit um Wärme handelte. Wenn das richtig ist und wenn diese vorgestellten Situationen auch echten Möglichkeiten entsprechen, dann zeigt das, dass die Eigenschaft, Wärmeempfindungen zu bewirken, keine notwendige und damit wesentliche, sondern lediglich eine kontingente Eigenschaft von Wärme ist. Weiterhin ist in keiner der vorgestellten Situationen Wärme etwas anderes als Molekularbewegung. Bei diesen Situationen handelt es sich somit um keine, die gegen die notwendige Wahrheit der Aussage »Wärme ist Molekularbewegung« sprechen. Wir haben es Kripkes Auffassung nach bei den genannten wissenschaftlichen Identitätsaussagen wieder mit notwendig wahren Aussagen *a posteriori* zu tun.

Kripke schließt seinen Aufsatz mit einem auf seinen bisherigen Überlegungen aufbauenden Argument gegen die Identitätstheorie in der Philosophie des Geistes. In ihrer zentralen Ausprägung, der Kripke auch am meisten Aufmerksamkeit schenkt, behauptet die Identitätstheorie, dass jeder geistige Eigenschaftstyp mit einem neurophysiologischen Eigenschaftstyp identisch ist (»Typen-Identität«). Sein Argument lässt sich mit den entsprechenden Anpassungen aber auch auf verschiedene andere Identitätsthesen anwenden, etwa die These der Identität meines konkreten Schmerzes zu einem Zeitpunkt mit meinem konkreten neurophysiologischen Zustand zu diesem Zeitpunkt (»Token-Identität«).

Die Identitätstheorie wurde in den 1950er Jahren insbesondere von Ullin T. Place (1924–2000) und J. J. C. Smart (1920–2012)[53] ins Feld geführt und ist in der einen oder anderen Ausprägung auch heute noch eine der zentralen Positionen in der Debatte. Place argumentiert dafür, dass die These der Identität von Schmerzen mit einem bestimmten Gehirnzustand nicht auf Basis von sprachlichen oder begrifflichen Zusammenhängen *a priori* geklärt werden kann, sondern genau wie die These der Identität von Blitzen mit bewegten elektrischen Ladungen (von Wasser mit H_2O; von Wärme mit Molekularbewegung) zu sehen ist, also als empirische Hypothese, deren Wahrheit wir durch geeignete wissenschaftliche Untersuchungen *a posteriori* feststellen können. Place hält die entsprechenden Identitätsaussa-

---

53 Place 1956; Smart 1959.

gen im Einklang mit der damals verbreiteten Auffassung daher auch für lediglich kontingent wahr. Wie bereits gesehen, ist Kripke in Bezug auf den modalen Status der genannten wissenschaftlichen Identitätsaussagen anderer Auffassung: Er hält sie für notwendig wahr, wenn sie denn überhaupt wahr sind.

Auch Kripke diskutiert als Beispiel für eine Identitätsthese, wie sie Vertreter*innen der Identitätstheorie vorbringen, dass Schmerz mit einem bestimmten neurophysiologischen Zustand identisch ist. Als Kandidat für ebendiesen Zustand führt er die Erregung von C-Fasern an. Anstatt von Zuständen kann man hier alternativ auch von Eigenschaften sprechen: So verstanden behauptet die Identitätstheorie, dass die mentale Eigenschaft, *Schmerzen zu haben*, identisch mit der neurophysiologischen Eigenschaft ist, *erregte C-Fasern zu haben*.[54] Die Identitätstheorie beschränkt sich natürlich nicht auf Schmerzen, sondern behauptet von jeder mentalen Eigenschaft, dass sie mit einer bestimmten neurophysiologischen Eigenschaft identisch ist. Wenn Kripkes Überlegungen jedoch im Fall von Schmerzen überzeugen, dann lässt sich die Argumentation auch analog auf andere mentale Eigenschaften anwenden.

Ist die Identitätsaussage »Schmerz ist C-Faser-Erre-

---

54 Die Identität von Schmerzen mit der Erregung von C-Fasern ist zwar schon empirisch wenig plausibel, sofern man Schmerzen im Gehirn verortet, da es sich bei C-Fasern um Fasern im peripheren Nervensystem handelt. Dennoch hat sich in der philosophischen Literatur die Rede von C-Faser-Erregung bis heute gehalten. Da es für die Argumentation hier letztlich irrelevant ist, mit welchem konkreten neurophysiologischen Zustand Schmerzen identifiziert werden, spielt das auch keine große Rolle.

gung«, sofern sie als empirische Hypothese verstanden wird, mit wissenschaftlichen Identitätsaussagen wie »Wasser ist H_2O« oder »Wärme ist Molekularbewegung« vergleichbar, wie etwa Place behauptet? Kripke versucht, einen Unterschied zwischen den genannten wissenschaftlichen Identitätsaussagen und der Aussage der Identitätstheorie herauszuarbeiten, der gegen die Wahrheit der Letzteren spricht. Er hält sowohl »Schmerz« als auch »C-Faser-Erregung« für starre Bezeichner, und somit ist die Identitätsaussage »Schmerz ist C-Faser-Erregung« notwendig wahr, wenn sie denn wahr ist. Sollte sie stattdessen falsch sein, so ist sie notwendig falsch. Es kann also, wenn Schmerz C-Faser-Erregung ist, auch keine mögliche Situation geben, in der die Aussage »Schmerz ist nicht C-Faser-Erregung« wahr ist.

Eine solche Situation scheint aber durchaus vorstellbar zu sein. Man kann sich offenbar eine Situation vorstellen, in der Lebewesen Schmerzen empfinden, ohne dass diese Lebewesen überhaupt C-Fasern haben. Genauso gut scheint man sich eine Situation vorstellen zu können, in der die C-Fasern eines Lebewesens erregt sind, ohne dass es Schmerzen empfindet. Es spricht also auf den ersten Blick einiges gegen die Identität von Schmerz mit C-Faser-Erregung.

Lässt sich die Vorstellbarkeit einer solchen Situation auf dieselbe Weise wegerklären, wie sich der Eindruck wegerklären lässt, dass es eine Situation hätte geben können, in der die Aussage »Wärme ist nicht Molekularbewegung« wahr wäre? Dabei müsste es sich um eine Situation handeln, die den Anschein erweckt, eine Situation zu sein, in der Schmerz nicht C-Faser-Erregung ist, weil es sich um ei-

ne Situation handelt, in der sich Lebewesen mit erregten C-Fasern in derselben epistemischen Situation befunden hätten wie jemand, der Schmerzen empfindet, ohne dass diese Lebewesen Schmerzen empfunden hätten. Dabei müsste es sich jedoch um eine Situation handeln, in der Schmerzen nicht schmerzhaft gewesen wären, da das das relevante Charakteristikum der epistemischen Situation ist, analog zur Wärme, die sich nicht warm hätte anfühlen können. Aus Kripkes Sicht ist das aber nicht möglich, da es eine wesentliche Eigenschaft von Schmerzen ist, schmerzhaft zu sein; und nicht nur das: Es handelt sich nicht nur um ein notwendiges, sondern auch ein hinreichendes Charakteristikum von Schmerzen, denn es ist nicht nur jeder Schmerz schmerzhaft, sondern auch alles, was schmerzhaft ist, ist ein Schmerz.[55] Die Strategie, hier etwas analog zu den wissenschaftlichen Identitätsaussagen wegerklären zu wollen, geht also nicht auf. Das spricht Kripke zufolge dafür, dass es sich bei der vorgestellten Situation tatsächlich um eine echte Möglichkeit handelt.

Man kann das von Kripke vorgebrachte Argument gegen die Identitätstheorie wie folgt zusammenfassen:

(1) Die Ausdrücke »Schmerz« und »C-Faser-Erregung« sind starre Bezeichner.

(2) Identitätsaussagen mit starren Bezeichnern links und rechts des Identitätszeichens sind notwendigerweise wahr, wenn sie denn wahr sind.

---

55 Dasselbe gilt, anders als für Wärme, auch für Wärmeempfindungen. Niemand kann in derselben epistemischen Situation sein wie jemand, der eine Wärmeempfindung hat, ohne dass es sich für ersteren ebenfalls warm anfühlt.

(3)   Wenn die Identitätsaussage »Schmerz = C-Faser-Er-
        regung« wahr ist, dann ist sie notwendigerweise
        wahr (aus (1) und (2)).

(4)   Sowohl eine kontrafaktische Situation, in der die
        C-Fasern eines Individuums erregt sind, ohne dass
        es Schmerzen hat, als auch eine, in der ein Individu-
        um Schmerzen hat, ohne überhaupt C-Fasern zu ha-
        ben, scheint vorstellbar zu sein.

(5)   Die Vorstellbarkeit der in (4) beschriebenen Situati-
        onen lässt sich nicht wegerklären.

(6)   Wenn (4) wahr ist und sich die Vorstellbarkeit der in
        (4) genannten Situation nicht wegerklären lässt,
        dann ist es möglich, dass die Identitätsaussage
        »Schmerz = C-Faser-Erregung« falsch ist.

(7)   Wenn es möglich ist, dass die Identitätsaussage
        »Schmerz = C-Faser-Erregung« falsch ist, dann ist sie
        nicht notwendigerweise wahr.

(8)   Die Identitätsaussage »Schmerz = C-Faser-Erre-
        gung« ist nicht notwendigerweise wahr (aus (4) und
        (5) via (6) und (7)).

Also: Die Identitätsaussage »Schmerz = C-Faser-Erre-
        gung« ist falsch (aus (3) und (8)).

Das Argument ist offensichtlich gültig, d. h. die Konklusion
muss wahr sein, insofern die Prämissen wahr sind. Man
muss also eine der Prämissen bestreiten, wenn man die
Konklusion für falsch hält.

   Manche Autor*innen bestreiten (1); David Lewis[56] etwa
hält »Schmerz« nicht für einen starren Bezeichner. Aus

---

56 Lewis 1980, S. 218.

seiner Sicht bezeichnet der Ausdruck »Schmerz« in unterschiedlichen Spezies verschiedene physische Zustände, und zwar je nach Spezies den Zustand, der in den meisten zu der Spezies gehörenden Individuen jene kausale Rolle spielt, die mit Schmerzen assoziiert wird. Dass Schmerzen sich in unterschiedlichen Spezies auf dieselbe Weise anfühlen, also schmerzhaft sind, ist dabei nicht vorausgesetzt.

Viele finden Lewis' Ansatz wenig plausibel. Stattdessen akzeptieren viele die Prämissen (1) bis (4) und versuchen, den Schritt vom Anschein der Vorstellbarkeit zur genuinen Möglichkeit der Situation zu bestreiten. Eine Möglichkeit, das zu tun, besteht darin, (5) zu bestreiten. Streng genommen argumentiert Kripke nämlich nicht für (5), sondern lediglich für die schwächere These, dass sich die Vorstellbarkeit der in (4) beschriebenen Situation nicht auf dieselbe Weise wegerklären lässt, auf die sich die vermeintliche Vorstellbarkeit einer Situation wegerklären lässt, in der Wärme nicht Molekularbewegung ist. Vertreter*innen der Identitätsthese könnten also monieren, dass Kripke keine überzeugenden Gründe für Annahme (5) liefert. Der Schritt vom Anschein der Vorstellbarkeit der Situation zu deren Möglichkeit ist also nicht wasserdicht. Doch Kripke spielt zumindest mit seinem Vergleich mit etablierten wissenschaftlichen Identitätsaussagen den Ball ins gegnerische Feld, insofern es die Aufgabe von Vertreter*innen der Identitätsthese sein dürfte, einen Weg zu finden, die Vorstellbarkeit der in (4) beschriebenen Situation auf andere Weise wegzuerklären.

Richard Boyd (1942–2021)[57] versucht genau das. Er

57 Boyd 1980, S. 84 f.

schlägt vor, dass die Situation, die wir uns vorstellen, wenn wir glauben, uns eine Situation vorzustellen, in der die C-Fasern eines Individuums erregt sind, ohne dass es Schmerzen hat, gar keine Situation ist, in der die C-Fasern erregt sind. Stattdessen handelt es sich um eine Situation, in der etwas auftritt, was C-Faser-Erregung in Bezug auf seine beobachtbaren Eigenschaften gleicht, aber nicht C-Faser-Erregung ist. Die beobachtbaren Eigenschaften, mit denen man typischerweise feststellt, ob etwas C-Faser-Erregung ist, können nach dieser Auffassung genau das aber nicht leisten, da auch etwas anderes als C-Faser-Erregung diese beobachtbaren Eigenschaften hätte haben können. Damit zieht Boyd grundsätzlich die Fähigkeit in Zweifel, zwischen Situationen, in denen man sich die genuine Existenz eines wissenschaftlichen Phänomens vorstellt, und solchen, in denen man das nicht tut, zu unterscheiden. Boyds Ansatz hat sich daher ebenfalls nicht durchgesetzt.[58]

Joseph Levine (* 1952)[59] wiederum argumentiert dafür, dass Kripkes Argument nicht zeigen kann, dass die Identitätstheorie falsch ist. Stattdessen zeigt es eine explanatorische Lücke (»explanatory gap«) auf, die es erschwert oder gar verunmöglicht, die relevanten Identitätsthesen zu begründen.

58 Wright 2002, S. 413–417.
59 Levine 1983.

Angesichts des großen Einflusses von Kripkes Werk auf so gut wie alle Teilbereiche der theoretischen Philosophie analytischer Ausprägung wäre es vermessen, auch nur zu versuchen, hier auf sämtliche Entwicklungen einzugehen, die sich als Weiterentwicklung von oder als Antwort auf Kripkes Überlegungen ergeben haben. Ich werde mich daher darauf beschränken, einige wenige wichtige Entwicklungen anzudeuten.

Kripke gilt mit seiner kausal-historischen Theorie dessen, wie die Referenz von Ausdrücken zustande kommt, neben Hilary Putnam (1926–2016) als Mitbegründer des semantischen Externalismus. Diese Position behauptet, dass die Bedeutung einschließlich der Referenz von Ausdrücken von äußeren Umständen abhängt. Putnams Beispiel[60] ist das der Zwillingserde, einem Planeten, der der Erde gleicht, abgesehen von dem Umstand, dass die klare, trinkbare Flüssigkeit in Bächen und Seen nicht H_2O, sondern XYZ ist. Die Bewohner auf der Zwillingserde nennen diese Flüssigkeit sogar »Wasser«. Putnam zufolge drückt eine Person, die auf der Zwillingserde lebt, mit »Wasser ist H_2O« etwas Falsches aus, da sie von XYZ behauptet, dass es H_2O ist, während eine Person, die auf der Erde lebt, ansonsten aber der Person auf der Zwillingserde gleicht, mit »Wasser ist H_2O« etwas Wahres ausdrückt: Sie behauptet von H_2O, dass es H_2O ist. Da sich die beiden »Zwillinge« jedoch bis auf ihre Herkunft gleichen, muss der Unterschied in der Bedeutung ihrer Äußerungen von externen Faktoren ab-

---

60 Putnam 1975, S. 224–227.

hängig sein. Ähnliche Überlegungen liegen auch einem Externalismus in Bezug auf den Inhalt mentaler Zustände zugrunde, der natürlichen Arten[61] oder auch sozialen Faktoren[62] eine Rolle dafür zuschreibt, welchen Inhalt unsere mentalen Zustände haben.[63]

Eine weitere wichtige Entwicklung, deren zentrale Ideen zum Teil in einigen Äußerungen in Kripkes Schriften verwurzelt sind[64], ist die der zweidimensionalen Semantik (2D-Semantik).[65] Einige bedienen sich einer solchen Semantik, um Kripkes Ansatz zu erweitern und etwa die Kontextabhängigkeit indexikalischer Ausdrücke wie ›ich‹, ›jetzt‹, und ›hier‹[66] oder pragmatische Aspekte des Sprachgebrauchs[67] einzufangen. David Chalmers (* 1966)[68] und Frank Jackson (* 1943)[69] hingegen entwickeln eine generalisierte 2D-Semantik, die Kripkes Überlegungen zwar ernst nimmt, sie aber anhand einer Theorie zu erklären versucht, die als Weiterentwicklung der traditionellen Beschreibungstheorie verstanden werden kann, da sie Kripkes These ablehnen, dass die Referenz von Ausdrücken durch Faktoren außerhalb der Semantik bestimmt werden. Aus ihrer Sicht haben Ausdrücke und Sätze eine zweidimensionale Intension. Diese setzt sich aus zwei Komponenten zusam-

---

61 McGinn 1977.
62 Burge 1979; 1986.
63 Einen Überblick bietet Lau/Deutsch 2014.
64 Siehe Soames 2005, Kap. 4.
65 Einen Überblick auf Deutsch bietet Nimtz 2015.
66 Kaplan 1977.
67 Stalnaker 1978; 2001; 2004.
68 Chalmers 2004.
69 Jackson 1998.

men, die eng mit zwei verschiedenen Arten zusammenhängen, wie man sich eine Situation vorstellen kann, nämlich entweder als *aktual* oder als *kontrafaktisch*. Man stellt sich eine Situation dann als aktual vor, wenn man sich die Situation als in der tatsächlichen Welt eintretend vorstellt. Chalmers verbindet diese Art der Vorstellbarkeit mit epistemischer Möglichkeit. Als epistemisch unmöglich gelten nur Situationen, deren Bestehen von einem*einer rationalen Denker*in *a priori* ausgeschlossen werden kann. Als kontrafaktisch stellt man sich die Situation dann vor, wenn man sich vorstellt, wie die tatsächliche Welt hätte sein können, unter der Voraussetzung, dass sie so ist, wie sie tatsächlich ist. Bei einer als aktual vorgestellten Situation, in der die klare, trinkbare Flüssigkeit, die sich in Bächen und Seen findet, nicht H_2O ist, handelt es sich um eine Situation, in der die Aussage »Wasser ist nicht H_2O« wahr ist. Als kontrafaktisch vorgestellt, handelt es sich jedoch um eine Situation, in der die Aussage »Wasser ist nicht H_2O« falsch ist. Die zweite Lesart liefert dieselben Resultate wie Kripkes Ansatz und schafft die Verbindung zu metaphysischer Notwendigkeit und Möglichkeit. Die erste Lesart schafft Chalmers zufolge die Verbindung zur Apriorität und erklärt gleichzeitig, warum uns die Identitätsaussage als kontingent erscheint. Chalmers' 2D-Semantik versucht auf diese Weise, die Beschreibungstheorie von Frege und Russell zu reparieren und die Brücke zwischen Apriorität und Notwendigkeit wiederherzustellen.

Auch der von Kripke in der analytischen Philosophie wieder salonfähig gemachte Essentialismus ist noch heute fester Bestandteil vieler Debatten, wenn auch nicht im gleichen Ausmaß wie andere Aspekte von Kripkes Arbeit.

Allerdings geht manchen Kripkes modale Interpretation wesentlicher Eigenschaften, der zufolge die wesentlichen mit den notwendigen Eigenschaften eines Gegenstands übereinstimmen, nicht weit genug. So spricht sich Kit Fine[70] dafür aus, dass zwar alle wesentlichen Eigenschaften eines Gegenstands dem Gegenstand notwendigerweise zukommen, jedoch nicht alle notwendigen Eigenschaften eines Gegenstands auch wesentliche Eigenschaften des Gegenstands sind. Fine zufolge handelt es sich um eine notwendige Eigenschaft von Sokrates, das einzige Element der Menge zu sein, die nur ihn beinhaltet. Intuitiv scheint diese Eigenschaft aber keine wesentliche Eigenschaft von Sokrates zu sein, wenn wir damit jene Eigenschaften meinen, die zum Wesen oder der Natur des Sokrates gehören und ihn zu dem Gegenstand machen, der er ist.

In der gegenwärtigen Debatte in der Philosophie des Geistes finden sich viele von Kripkes Einsichten weit verbreitet. Die Vorstellung, dass die Identitätsthesen der Identitätstheorie notwendig sind, wenn sie wahr sind, gehört weitgehend zum Common Sense in der Debatte um das Körper-Geist-Problem. Ob sie tatsächlich wahr sind, ist aber weiterhin umstritten. Auf Seiten jener, die sie für wahr halten, bestreiten einige die Vorstellbarkeit von Situationen, in denen geistige Eigenschaften ohne die jeweiligen physischen Eigenschaften auftreten, andere sprechen sich zwar dafür aus, dass solche Situationen vorstellbar sind, verorten das Problem aber beim Schritt von deren Vorstellbarkeit zu ihrer Möglichkeit. Nicht zuletzt halten einige die beschriebenen Situationen für genuine Möglich-

70 Fine 1994.

keiten und daher die Identitätsthesen im Einklang mit Kripkes Einsichten zu Identität und Notwendigkeit für falsch. Eines der zentralen Argumente in der Debatte, das von Chalmers vor dem Hintergrund seiner 2D-Semantik vorgebrachte »Zombie-Argument«[71], weist eine ähnliche Struktur auf wie Kripkes Argument, ohne jedoch unmittelbar auf die Funktion von Eigennamen zu verweisen. So wird von der Vorstellbarkeit von Zombies, also physischen Duplikaten von Lebewesen mit bewussten geistigen Zuständen wie Schmerzen, die selbst aber keine geistigen Zustände haben, auf deren Möglichkeit und von deren Möglichkeit auf die Falschheit der relevanten Identitätsthesen geschlossen. Der zweidimensionale semantische Apparat soll dabei plausibel machen, wie man von der Vorstellbarkeit solcher Wesen auf deren metaphysische Möglichkeit schließen kann.

Dieser kurze Einblick in einige der Entwicklungen seit dem Entstehen von Kripkes Werk zeigt den nachhaltigen Einfluss von Kripke auf alle Teilbereiche der theoretischen Philosophie mindestens im letzten halben Jahrhundert.[72]

71 Chalmers 1996, S. 94–99; Chalmers 2010, Kap. 6.
72 Ich möchte mich herzlich bei meinen Kolleg*innen und den Studierenden an der Universität Osnabrück bedanken, die mich mit hilfreichen Anmerkungen und Verbesserungsvorschlägen unterstützt haben.

Inhalt